T5-AGJ-536

LE PAVILLON DES OISEAUX

CLÉLIA RENUCCI

LE PAVILLON DES OISEAUX

roman

ALBIN MICHEL

À France

« Nous ne croyons le mal que quand il est venu. »

Jean de La Fontaine

I

1

– Un Farnèse ne peut rester dans la nature, c'est un état de fait. Alors maintenant, ma chère petite sœur, cessez d'arguer et agissez. Ramenez-moi ce bébé.

– Sauf votre respect, Grand Cardinal, allez-y vous-même, envoyez un sbire, un secrétaire, une maîtresse même si vous le voulez. Pour ma part, puisque c'est moi qui vais devoir m'en occuper, je vous remercie, je n'ai nul besoin d'un autre enfant à élever. Je me suffis des miens et des bâtards que mon mari m'impose. L'avenir des Farnèse n'est pas en danger. Nos frères se chargent à merveille d'assurer notre descendance.

– Cet enfant est le mien, c'est-à-dire celui de notre famille, le nôtre, le vôtre, celui du peuple romain.

– Qui n'a pas d'orgueil n'a jamais rien entrepris, mon frère… Mais n'allez-vous pas un peu loin ?

– Vous ne m'entendez pas, reprit Alessandro en arrangeant son habit de cardinal pour s'asseoir avec lassitude dans son fauteuil de velours vert.

Passant une main soignée dans les poils courts de sa barbe, il se lança dans un exposé de la valeur Farnèse :

– Si notre grand-père, le regretté pape Paul III, avait ainsi raisonné, ma sœur, vous seriez jardinière, fermière, lavandière ou domestique, et moi batteur, fromager, verrier, marchand de volailles ou que sais-je encore. S'il n'avait pas, avec toute l'autorité que lui conférait son statut, publié des bulles papales pour forcer la Curie à reconnaître notre père, celui-ci n'aurait été élevé que par sa mère, qui n'était rien. Ainsi va la vie à Saint-Pierre… Si Paul III, le plus grand pape que Rome ait jamais connu, n'avait songé à protéger sa famille, notre branche se serait éteinte.

» Votre mari a respecté ce qu'il doit à sa lignée et vous laisse avec assez de descendance pour ne pas craindre une extinction de son nom. Il n'en est pas ainsi des Farnèse, et vous le savez. Je suis seul, Vittoria. Et la solitude ne sied pas à un prince. Je veux et j'aurai cet enfant, dussé-je y aller moi-même.

– Faites, mon Illustrissime Seigneurie et révéré frère. Mais écoutez plutôt mon conseil : oubliez cet enfant qui vient de naître, prenez maîtresse à Rome, vivez grand train, gardez sous votre aile, et au vu de tous, les bâtards que cette maîtresse voudra bien vous faire croire être les vôtres. Pour ma part et pour le sauvetage de notre lignée, je vous le répète, je m'en remets à nos frères légitimes. Ils sont trois, dois-je vous le rappeler ?

Vittoria allait se lever lorsque Alessandro la précéda,

s'agenouillant devant elle, non pour la supplier, mais pour l'immobiliser. La fixant droit dans les yeux, perçant son âme d'un regard qui ne cillait pas, il prononça sans presque remuer les lèvres :

– Vous irez. C'est un ordre. Vous récupérerez cet enfant à Parme, je vous le commande. Vous l'élèverez et vous l'aimerez, je l'exige. Puis nous nous chargerons de son éducation et de son placement.

Il la maintint plus fermement encore, appuyant sur ses avant-bras recouverts de mousseline et de gaze. Sans relâcher son étreinte ni son regard, il ajouta d'un ton dont la bienveillance tranchait avec son attitude :

– Et toute cette opération se déroulera dans la plus grande douceur, n'en doutons pas.

Se relevant sans heurt, les yeux toujours plongés dans ceux de sa sœur, comme un dresseur évalue la liberté qu'il accorde à sa monture, il se rassit posément, attendant, avec la certitude tranquille du puissant, l'assentiment tremblant de celle qui n'a d'autre choix que de se soumettre.

– L'honneur, ma sœur, n'est pas quelque chose qui vient en naissant, cela s'apprend. Et cet enfant, d'où qu'il vienne, saura le découvrir.

– Puis-je simplement vous demander, mon frère, ou plutôt mon maître, comment vous pouvez être absolument certain de votre paternité ? La maison dans laquelle vous m'envoyez est une masure. Ne pourriez-vous pas vous tromper ?

– Seul l'homme indécis se trompe. L'échec est une

illusion des faibles. La grandeur assume ses conséquences et ne redoute rien. En toute chose, l'action seule nous sauve.

– J'irai, mon frère, et vous rapporterai ce poupon Farnèse que j'aime déjà comme mon sang, dit Vittoria en se relevant, une pointe d'ironie dans la voix.

Alessandro la raccompagna et descendit avec elle le grand escalier menant à la cour d'honneur où les pilastres corinthiens de Michel-Ange se superposaient avec harmonie aux portiques doriques plus anciens.

Plus rien ne ressemblait aux temps de leur enfance autour du palais Farnèse. Les moutons ne paissaient plus sur le Campo dei Fiori, la place avait été pavée depuis peu. Le long du Tibre, là où le fleuve prend de la force, des moulins à vent s'étaient installés. Dans les méandres de ses rives, marchands et artisans s'affairaient désormais. Alors qu'Alessandro se perdait dans ses souvenirs, Vittoria pensait aux heures sombres qui l'attendaient. Et elle en avait assez. Assez de ces mignonnes qui ne songent qu'à faire des enfants aux Grands sans en redouter les conséquences, assez de ces persécuteurs capables de voler une vie pour une culbute dans une grange, assez de ces hommes qui, du haut de leur puissance, lui faisaient en pratique réparer tous leurs méfaits. Elle pouvait compter de ces bâtards partout, aux quatre coins de l'Italie et de leurs différents palais. Incapables de se déplacer sans remuer la queue. Et c'étaient eux qu'il fallait appeler maîtres ! Et ces papes débonnaires qui couvraient les bassesses de chacun dans toutes les cours d'Europe ! Un enfant naturel par-ci, un divorce par-là... Une compresse matrimoniale pour apôtres énamourés, voilà ce qu'était devenue la cité vaticane. Des bulles promulguées à chaque nouvelle engeance adultérine, des barrettes cardinalices déposées sur la tête de bambins Médicis, Farnèse ou Colonna pour préserver la légitimité et l'influence des familles. Vittoria en avait soupé.

Elle voyait déjà la scène. C'était toujours la même. Cette Parmesane ne différerait pas des autres. Une jeune mère, probablement blonde, comme toutes les femmes qu'avait connues son frère, dormant sur une couche dérisoire mais couverte de bijoux ostentatoires que son amant, dépourvu de sens pratique, n'avait pas dû manquer de lui offrir à chacune de ses visites, et à côté d'elle, bordé d'un simple drap, un nourrisson, petits poings fermés dans un sommeil béat, une chandelle éclairant son visage serein. Puis un galop lointain, des chevaux qui hennissent, des pas d'hommes quittant leurs montures et, brusquement, une porte s'ouvrira, laissant pénétrer l'air froid de cette première nuit d'automne, comme un fouet qui s'abat, et les hommes saliront cette quiétude. La femme sursautera, tâchera de masquer sa nudité autant que son impuissance, prononcera quelques mots incohérents auxquels les mercenaires répondront par des injures, tentera de les empêcher de retirer ce bébé à ses langes, recevra un soufflet et, le cœur meurtri, entendra résonner les cris de son enfant dans l'aube à peine naissante. Il n'avait pas un mois. Elle ne le verra plus. Et si elle essayait, la vie lui serait ôtée. Elle le sait, elle s'abstient.

Vittoria la connaît, cette femme affligée, inconsciente des risques pris en fréquentant son frère, son mari, ou son fils même probablement plus tard. Et elle accueillera ce nourrisson béni, elle l'aimera comme on chérit l'innocence, et elle s'accommodera de ces supplices du sort et de ces hommes singuliers que le destin a choisis pour être ses compagnons.

Si le nourrisson est une fille, il faudra la marier, si c'est un garçon, toutes les voies s'ouvriront à lui.

Le hasard décida. Ce fut une petite fille. On l'appela Clélia.

2

Sur le chemin qui la menait de la forteresse d'Urbino, où elle avait grandi, à sa nouvelle demeure, Clélia interrogeait sa tante sur le sort qui lui serait réservé une fois devenue l'épouse du porte-drapeau du peuple romain. Elle caressait le médaillon que la famille de son prétendant avait fait peindre à son intention. Giovan Giorgio y était représenté debout, portant chausses en satin et trousses mordorées descendant jusqu'aux genoux, surmontées d'une armure. Son visage, frêle figure d'une pureté féminine, reposait sur une fraise démesurée, les sourcils bien arqués sur un nez aquilin se dressant timidement au-dessus de fines lèvres rosées. Une douceur émanait de sa posture, qui contrastait avec le casque de soldat sur lequel sa main venait se poser, énigme que Clélia, tout à la joie de cette union, magnifiait à loisir.

Car cette jeune fille n'avait vécu les cinq dernières années de sa vie que dans l'attente de la consécration de ce mariage dont les fiançailles avaient été conclues à l'aube de ses sept ans.

Elle se souvenait des conversations interminables qu'elle avait eues alors avec ses cousines, sur les bords de l'Adriatique où elles avaient été élevées toutes ensemble par Vittoria et dont la plus âgée, onze ans, était sur le point d'épouser un prince napolitain. Sur leur lit à colonnes cannelées, l'une démêlant les cheveux de l'autre, et la troisième amusant le chat d'une pelote de laine, elles égrenaient fièrement la liste des libertés qu'elles acquerraient une fois mariées. La plus grande, Isabella, avait ouvert en riant le coffre qu'elle venait de recevoir en présent pour la féliciter avant l'heure de ses noces et la préparer à la fameuse nuit. Elle avait révélé aux plus petites, peints dans le versant secret du couvercle, de jeunes gens dénudés, allongés dans des positions lascives, et pourtant sagement représentés en habits fastueux sur le devant du coffre.

Clélia, sept ans, avait ouvert de grands yeux lorsque ses cousines avaient mimé ces positions sur le lit, entremêlant leurs jambes et leurs bras nus, riant aux éclats. Une lumière mordorée était venue frôler leurs corps éblouissants de blancheur et de jeunesse et avait donné à ces jeux enfantins une coloration sacrée. Elles ne profanaient rien, ignorantes de tout et le soleil lui-même ne se serait pas arrogé le droit de tenir le rôle de la pluie s'il avait vu ces petites filles aveuglées dès leur plus tendre enfance. Pour l'instant, point de masques, mais une gaieté étourdie que le visage de leur tante et mère, Vittoria, empreint d'une irritation feinte, avait fait cesser lorsqu'elle les avait surprises ainsi enchevêtrées. Elle se devait d'agir car combien de Clélia, de Lavinia, d'Isabella n'avait-elle pas déjà vues se faire engloutir par l'idéal ! L'expression de la colère de Vittoria s'était instantanément muée en tendresse devant l'innocence des fillettes. Elle leur avait demandé, se rappelait Clélia, de se rhabiller décemment et elles s'étaient élancées vers le parc où elles avaient passé l'après-midi à jouer. Clélia y avait perdu une dent de lait.

– Mais comment sera-t-il aujourd'hui ? demandait-elle à Vittoria qui la couvait de ses yeux tendres de tante à qui il ne reste plus d'enfant à éduquer.

Clélia était sa dernière offrande à l'autel des unions. Alors que la petite n'éprouvait qu'une envie, celle de plonger enfin dans l'inconnu, l'esprit de Vittoria oscillait entre le bonheur de la voir bercée d'illusions et la conscience de leur inanité. Vittoria avait consacré sa vie aux autres et ne pouvait, en ce jour si remarquable, dévoiler à la future mariée ce qu'elle n'apprendrait que trop vite.

Elle se rapprocha de sa nièce pour lui caresser le genou en signe de solidarité muette. Une pierre sur la route heurta les roues et le cocher arrêta le carrosse pour s'assurer de l'état des moyeux. Clélia et sa tante en profitèrent pour faire quelques pas dans les pâturages attenants. Le cocher appela, la voiture était prête à repartir.

Une fois bien installée au milieu de coussins duveteux, Clélia se déchaussa et tendit ses chevilles à sa tante qui les massa avec amour. La jeune fille jouait avec une mèche de ses cheveux blonds et observait de nouveau son médaillon.

– Qu'il est beau, répétait-elle en embrassant les lèvres de son promis, il sera bon, je le sens, n'est-ce pas, ma tante ?

Comme répondant à cette question pour la centième fois depuis le début du voyage, Vittoria acquiesça, continuant ses gratouilles aux endroits que lui désignait sa nièce avec une impérieuse drôlerie.

– Et il m'aimera, dis, ma tante ?

– Bien entendu, qui songerait à en faire autrement ?

– Il me fera danser ? Oh oui, je suis sûre qu'il danse aussi merveilleusement que ses jolis pieds le promettent sur son portrait…

– Comme tous les maris dansent, ma belle petite enquiquineuse, lança Vittoria en la chatouillant tout à fait.

Clélia n'y résista pas, et son rire gracieux emplit le carrosse comme le chant d'un rossignol qui vient de quitter son nid et fait savoir au monde sa gaieté d'indépendance.

– Et la fameuse nuit ? Dure-t-elle tout entière ou peut-on se reposer un peu ? murmura la jeune fille en relaçant les rubans de satin qui fermaient ses souliers.

– Ça, ma petite, cela dépend du mari…

– Mais comment ? Que dois-je faire ?

Clélia pâlit d'un coup.

– Et si je ne lui plaisais pas ?

– Il va t'adorer, mon ange, comme tes cousins avant lui,

ton oncle, ton père, et toute personne ayant eu le bonheur de passer quelques instants en ta présence.

– Mon père… Il ne sera pas là… Que ferai-je sans lui ?

– Comme tu as toujours fait ! répondit sa tante qui commençait à somnoler. Mais dormons maintenant, une longue vie t'attend.

– Comme je t'envie, ma tante, d'avoir déjà tout vécu. Et comme je suis heureuse, pourtant, d'apprendre moi-même à vivre.

Vittoria ne répondit pas, elle s'était endormie.

Clélia redressa son coussin et observa le paysage. Elle ne trouvait pas le sommeil, trop préoccupée de cette nuit de noces avec Giovan Giorgio et de toutes les questions auxquelles sa tante ne répondait qu'évasivement. L'absence de son père la meurtrissait. C'était lui qui avait tout conçu de ce mariage, qui avait choisi le baron Cesarini comme le candidat idéal pour elle et, en cet instant crucial, il ne présiderait pas la messe…

La jeune fille finit par s'assoupir à force de calculs mentaux, dénombrant les moutons et les vaches qui bordaient la route, les multipliant par le prix à la livre de référence à Urbino, y ajoutant les quinze pour cent que devait coûter la proximité des richissimes cardinaux de la ville de Rome…

Quand Vittoria ouvrit un œil, Clélia dormait encore et elle observa cette jeune fille de treize ans passer et repasser entre ses doigts un morceau de ruban de satin bleu qu'elle-même lui avait offert lorsqu'elle avait cinq ans, et qui ne l'avait plus quittée depuis, sa langue semblant téter le sein de sa nourrice, cognant contre ses dents et produisant ce léger bruit délicieux de l'enfance.

Lorsqu'elle distingua au loin la forteresse de Rocca Sinibalda, Vittoria réveilla doucement sa nièce. La bâtisse était imposante et la lumière douce de la fin d'après-midi atténuait l'aspect sinistre de ce fort médiéval. Clélia tendit la tête pour mieux voir et la reposa sur son coussin, déçue. Ayant traversé les monts Apennins qui scindent l'Italie en son milieu, elle ne retenait pas sa surprise de trouver là l'exacte réplique du château d'Urbino dans lequel elle avait grandi. Elle qui avait pensé découvrir un nouveau monde en se rapprochant de Rome et de ses folies !

Le carrosse s'engageait dans la dernière côte avant d'atteindre les hauteurs de la ville fortifiée. Tout au long de la montée, abrupte et dangereuse, Clélia serra le médaillon de Giovan Giorgio Cesarini, priant pour que leur rencontre se révèle à la hauteur de ses aspirations.

Le cocher arrêta les chevaux. Clélia et sa tante étaient arrivées. Des domestiques en livrée ouvrirent la porte du carrosse sous le regard sombre d'une grosse matrone dont les cheveux noirs torsadés en une auréole semblaient des griffons menaçants. Elle fit froidement les présentations :

– Signora Farnèse, voici votre futur époux, le gonfalonier Cesarini. Veuillez vous approcher.

Un frisson d'angoisse saisit Clélia, mais disparut bien

vite en apercevant derrière la masse imposante de cette mère hostile le sourire joyeux et insouciant de son promis, superbement vêtu d'étoffes à fond d'argent glacé, de hauts-de-chausses grenat, des fleurs mêlées d'or et de chenille glissées dans les crevés de son pourpoint acier. Il s'avança et lui baisa la main en lui murmurant à l'oreille :

– Que je suis heureux de vous rencontrer enfin, divine Clélia.

Et, saluant respectueusement Vittoria, il la mena vers le grand escalier du château.

Les Cesarini étaient, comme les Farnèse, réputés pour la somptuosité de leurs réceptions et celle-ci en fut une illustration des plus éclatantes. Le crépuscule venu, les invités assistèrent éblouis au défilé de centaines de statues en sucre surmontées de lumières qui illuminaient tout le parc. Sur chaque table furent servis des poissons de toutes espèces, rougets, daurades, mulets, corbeaux de mer, suivis d'une variété infinie de chairs les plus rares et les plus délicates. Enfin, les desserts réunirent quantité de douceurs, parfumées d'œufs confits et de sirops exotiques.

On dansa beaucoup, Giovan Giorgio ne quittait pas Clélia des yeux. La beauté et la jeunesse des mariés leur promettaient une vie de plaisirs qui ne fut pas démentie par la première nuit qu'ils passèrent l'un avec l'autre. L'immédiate harmonie qu'ils avaient ressentie à leur rencontre devant le carrosse se confirma et leurs corps communièrent.

Dans les joies de cet amour naissant, Clélia profita pleinement de son nouveau mari, de son optimisme insouciant, riant de ses folies. Giovan Giorgio était heureux de l'éducation humaniste qu'avait reçue Clélia et, chaque jour, ils allaient explorer quelque nouvelle ruine aux alentours du château de Rocca Sinibalda. Ils se promettaient d'enrichir ensemble la collection de statues antiques qu'il avait commencée dans son jeune âge. Il lui expliquait les couleurs et les traits propres à chaque peintre des toiles du château qu'elle admirait et comparait avec celles d'Urbino où elle avait grandi, la conduisait sur les lacs, bien différents de l'Adriatique de son enfance, l'attirait dans tous les palais Cesarini du Latium, sans jamais en passer les frontières.

Cette union couronnait le souhait de Clélia de découvrir enfin Rome, unique objet de ses ambitions. Elle demandait des détails à Giovan Giorgio sur la villa qu'ils habiteraient ensemble, le nombre de domestiques qu'ils auraient, les fêtes auxquelles ils seraient naturellement invités, les charges qui seraient attachées à leur rang… Et dans la rosée glacée du pays des Cesarini, sous ce soleil d'hiver, le désir de Clélia se lisait dans chaque perle accrochée à sa robe, dans la moindre dentelle cousue à ses poignets. Dans l'air entier qui l'environnait résonnait le quatuor irrésistible des lettres que formait le mot : Rome.

Leur vie ne fut que liesse lorsque le ventre de Clélia, qui avait alors treize ans et demi, commença à manifester, un jour printanier de mars, la présence d'un embryon

Cesarini, faisant taire la sourde rancœur de la mère de Giovan Giorgio qui s'était vue tenue d'accepter le mariage de son fils avec Clélia, descendance illégitime des Farnèse, en raison de la dot considérable qu'Alessandro Farnèse avait bien voulu offrir à leur famille endettée, issue d'une noblesse qu'ils aimaient à dire antique puisqu'ils la faisaient remonter à la Rome des Césars.

Submergée par l'émotion ou la révolte – personne ne le sut –, la mère de Giovan Giorgio vint à mourir quelques jours après cette excellente nouvelle. Ce concours de circonstances fit enfin vaciller la volonté du Grand Cardinal qui ne pouvait laisser sa fille seule à un moment si bouleversant de sa vie conjugale. Alessandro se devait de la couver pour protéger cette progéniture naissante.

Aussi résolut-il de les autoriser à demeurer à Rome, ce qu'il s'était pourtant refusé à accepter jusque-là, trop inquiet des répercussions que la présence de sa fille illégitime dans la cité vaticane pourrait avoir sur ses ambitions à devenir un jour pape. Il posa néanmoins ses conditions : le couple ne devrait entrer dans la ville que le soir et à l'abri d'une litière, comme si cette précaution allait suffire à réduire au silence les *avvisi*, ces gazettes diplomatiques censées partager des informations cruciales et militaires à travers toute la péninsule et qui se résumaient souvent à des ragots mondains.

Clélia et Giovan Giorgio firent donc leurs préparatifs et quittèrent le palais de Rocca Sinibalda au lever du soleil. Des charrettes transportaient leurs meubles, tissus, tableaux, statues, vaisselles, mets en tout genre pour avoir de quoi se restaurer honorablement pendant le trajet, livres aussi, d'architecture, de droit, de philosophie, de poésie, d'économie, que Clélia aimait par-dessus tout. Parvenus à la nuit tombée devant la porte Tiburtina, Clélia et Giovan Giorgio se cachèrent dans leur litière, hilares, conscients de l'incongruité de cette mascarade : leur équipage de trente-cinq chevaux et mulets s'étendait sur toute la via Tiburtina et était loin d'être discret. Croire que l'on pouvait dissimuler leur arrivée à Rome était aussi absurde que d'imaginer un tigre oublié dans un coin du Colisée depuis l'Antiquité. Il n'existe pas. Toute la ville bruissait depuis des jours de leur approche secrète. Rome n'attendait qu'eux, ils en espéraient tout.

3

Avviso, 9 juin 1571

[…] Ce matin, Notre Seigneur Pie V s'est rendu, avec dix cardinaux, à l'église del Gesù, nouvel édifice jésuite financé par Alessandro Farnèse, où des dispositions avaient été prises pour le recevoir ainsi que sa suite et l'ensemble des prélats du Sacré Collège. Pourtant, à son arrivée, Sa Béatitude a renvoyé toute personne qui n'était pas nécessaire à son service.

Le Grand Cardinal Alessandro a donné très somptueusement à déjeuner et à dîner à Sa Sainteté, qui vint en ce lieu pour consulter le modèle et le dessin du nouvel autel qui devait y être sculpté.

[…]

Ce soir, le petit cardinal de Médicis a donné un banquet à toutes les nouvelles créatures de Rome. La signora Clélia Farnèse y était invitée, ainsi que son mari, Giovan Giorgio Cesarini, gonfalonier du peuple romain.

[…]

Ferdinando de Médicis réprima le sourire naissant sur les lèvres de Clélia et de Giovan Giorgio et leur tendit l'*avviso* d'un geste agacé.

– Si cette feuille de chou vous fait rire, vous n'avez qu'à la lire tout seuls. Pour moi, ce ne sont que racontars ridicules d'écrivaillons en manque de tout, qu'un écu suffit à faire écrire n'importe quoi lorsque la commande vient d'un être puissant.

Clélia contourna une sellette en noyer pour se rapprocher de Médicis. Elle venait d'arriver à Rome et cette ville l'amusait décidément.

– Vous ne pensez tout de même pas, lui demanda-t-elle, que mon père se serait abaissé à corrompre un *menante* pour parler de vous ?

– Et d'où viendrait cette admirable antithèse du grand et du petit cardinal si elle ne sortait de la bouche fielleuse de votre père ?

– Mais de partout, de nulle part, répondit Clélia en passant nonchalamment l'*avviso* à son mari. Je sais qu'il ne faut jamais surestimer sa propre influence, et que mon père est prêt à tout pour la maintenir, mais tout de même, il ne se laisserait pas aller à ce genre d'enfantillages et, sans vouloir vous vexer, Ferdinando, vous ne jouez pas encore dans la même cour. Vous êtes novice à Rome, presque autant que nous le sommes, et votre cardinalat n'est qu'un prétexte. Vous ne participez pas à la course à la tiare papale, ou vous cachez bien votre jeu.

Avalant un raisin vert qui traînait sur le guéridon marqueté de bois de violette posé à côté d'elle, elle émit un rire gracieux qui donna à Ferdinando l'envie de l'embrasser sur-le-champ, tant pour la faire taire que pour s'approprier un peu de son éclat.

Car ces trois jeunes gens ne s'étaient pas quittés depuis que les Cesarini étaient arrivés à Rome et qu'ils en découvraient toutes les splendeurs. Leur vie se passait en goûters, dîners, banquets, fêtes, élégances et les trois amis étaient devenus inséparables.

– Allez, conclut Médicis en redressant une mèche des cheveux blonds et souples de Clélia. Il nous faut prendre les choses joyeusement et ne pas les considérer plus longtemps qu'elles n'en sont dignes. Maintenant, le devoir nous appelle, notre peintre nous attend.

En effet, pendant leur conversation, un homme vêtu d'une cape noire et d'un béret en lin avait été introduit dans le deuxième salon du premier étage et installait son chevalet sans les interrompre, en habitué de la maison. Sur sa toile apparaissait l'esquisse du portrait de Clélia que Médicis et Cesarini vinrent admirer pendant que la jeune femme, s'asseyant sur une bergère recouverte de velours damassé rose pâle, reprenait une pose familière.

Dans la joie et les rires, quelques roses s'étaient échappées de sa chevelure et le peintre, qui s'appelait Jacopo Zucchi, vint les replacer avec grâce.

Giovan Giorgio reprit la lecture de l'*avviso* tombé à terre. Il le reposa avec négligence.

– Il n'y avait rien de plus, dit-il, déçu. Pourtant, quelle soirée vous nous avez donnée là, mon cher Ferdinando. C'était inouï.

Alors que le trio discutait encore du banquet, moquant les couples mal assortis qui s'y étaient noués, se réjouissant des déconvenues d'un autre et glorifiant chacune de leurs saillies, la porte s'ouvrit brusquement, laissant Alessandro Farnèse glacer cette atmosphère badine. En robe de cardinal, les sourcils froissés de colère, il s'imposa au milieu des trois jeunes gens.

– Vous êtes là, vous ? dit-il en regardant à peine Médicis qui lui répondit d'un vague signe de tête avant de se détourner vers une fenêtre du palais, comme pour réfléchir à une affaire autrement plus importante que celle de faire des politesses à son supérieur, vice-chancelier de l'Église.

Fondant droit sur Clélia de son corps immense et sec, Alessandro lui lança l'*avviso* sur les genoux, tandis que celle-ci gardait sa pose, jetant des coups d'œil à son père pour lui signifier la présence du peintre et tenter ainsi d'éviter l'esclandre.

– La condition pour accepter votre arrivée à Rome – il se tourna vers son gendre qui s'était rapproché de son ami Médicis et le foudroya du regard –, c'était que vous vous mainteniez dans une vie pieuse et respectable. De quoi ai-je l'air ? Je reçois le pape, et vous, vous vous dandinez chez Monsieur toute la nuit ?

D'un geste du menton, il désigna les deux jeunes gens

qui continuaient à discuter près de la croisée, manquant de rire à la triple répétition du mot « vous » par le Grand Cardinal. Ils se contentèrent de chuchoter : « Je réclame la nulle », faisant référence aux parties d'échecs dans lesquelles un joueur répète trois fois le même coup et annule de ce fait la partie.

– Que vous ai-je fait, Clélia, pour que vous me traitiez de la sorte ? Ou plutôt que n'ai-je pas fait pour vous ? Ne vous ai-je pas assuré une position confortable, manquez-vous de quoi que ce soit ici ? Choisissez votre camp, ma fille. Vous êtes une Farnèse, et les Farnèse sont unis. La fidélité participe de notre devise.

» Vous savez, ajouta-t-il d'un ton plus doux, relevant le visage de sa fille qui baissait les yeux, la forçant ainsi à le regarder, la folie comme la grâce seront toujours dans le monde, les médisances comme les bienfaits sont dans la nature. Et sachez que, comme la nature, elles se renouvellent tous les ans, chaque jour, à chaque heure. Une fois que vous êtes la proie des *avvisi*, ils ne vous lâchent plus. Les calomniateurs sont comme le feu, ils noirciraient du bois vert, faute de pouvoir le brûler. Ne vous prêtez pas de si bonne grâce à leurs inepties ou vous le regretterez. Pour le moment, ils vous connaissent à peine, l'oubli est encore possible. Accompagnez-moi plutôt demain dans notre église del Gesù, nous vous y fournirons une occupation plus digne de votre rang.

Clélia, déboutonnant sa fraise à rebords brodés et le col

de son corsage bleu nuit, semblait réfléchir à voix haute, en marchant de long en large :

– Le monde est médisant, creux, frivole, suffisant, mon père, mais le fuir est-il raisonnable ? S'en servir ne serait-il pas plus avantageux ? Voulez-vous donc vraiment que votre fille ne compte pour rien dans Rome ? Croyez-vous que ce nouveau pouvoir que j'acquiers en me faisant naturellement aimer des patriciens ne vous sera d'aucun secours ? Vous les tenez sous votre autorité, je les entretiens dans mon amitié. Notre duo pourrait être plus précieux que vous ne semblez le croire. Plutôt que de me cloîtrer dans votre nouvelle congrégation, chez ces jésuites qui en irritent plus d'un, laissez-moi vous être utile et enrichir encore le nom des Farnèse. Le pape a, dit-on, menacé récemment un cardinal qui refusait de payer ses dettes. Tenu de rendre les trente-six écus qu'il devait à son boulanger, il a préféré fuir la ville de crainte de voir tous ses créanciers se présenter ensemble le lendemain.

– Que voulez-vous me dire ? En quoi cela a-t-il un rapport avec nous et comment savez-vous cela ?

– Je lis les *avvisi*, mon père, que tous détestent tant et qui m'instruisent souvent. Et je réfléchis. Vous connaissez mon amour des livres de comptes…

Son père leva les yeux au ciel.

– C'est à vous que je le dois. Vous m'avez tout appris, mon père. Comment, sans vous, aurais-je lu tant de traités ? Et maintenant, j'ose me demander pourquoi nous ne mettrions pas en pratique certaines idées lancées par nos penseurs les plus féconds… Nos baronnies sont endettées, je ne vous l'apprends pas.

Son père confirma malgré lui, s'en voulant de laisser ainsi sa fille lui faire la leçon mais curieux de connaître son raisonnement.

– Vous m'accorderez, poursuivait-elle, que l'exemple de ce cardinal n'est en rien un cas unique en son genre.

D'un geste de la main, Alessandro fit signe à sa fille d'en arriver au fait.

– Le pape, lorsqu'il a besoin de fonds, lance bien un crédit financé par le peuple romain pour soutenir ses projets, n'est-ce pas ?

Alessandro acquiesça, impatient.

– Bien, souffla-t-elle. M'inspirant des thèses de Giovanni d'Andrea et du premier emprunt papal créé à Rome par Clément VII, je pense à un crédit que le pape pourrait lancer pour toutes nos baronnies endettées et qui…

– Laissez donc cela, nigaude, railla son père. Vous n'avez pas quatorze ans, passez vos nuits dehors en noceuse acharnée et vous voudriez me donner, avec votre collerette et vos pâquerettes dans les cheveux, une leçon de finance ?

Clélia ne prit pas la peine de le contredire sur la variété des fleurs qui agrémentaient sa coiffure, mais reprit doucement :

– Pas une leçon, mon père, je ne me le permettrais pas. Donner une opinion, avancer des hypothèses… Je ne m'avilirai pas à me justifier, mais vous rappellerai juste qu'à l'aube de votre quatorzième année, vous fûtes nommé cardinal, et que le pape Paul III, votre grand-père, n'eut pas à rougir de vous avoir ainsi favorisé.

– Favorisé ? Quelle insolente ! sourit son père que ce discours pugnace commençait à amuser.

Cette petite monade de volonté lui rappelait son assurance d'alors. Il ajouta pour la faire enrager :

– N'oubliez pas, ma fille, que justement vous en êtes une. Et qu'à ce titre, vous n'avez droit à rien.

– À rien ? Et Catherine de Médicis qui règne en égale en ce moment aux côtés du roi de France ? Vous vous moquez, mon père. Les mortels sont égaux devant la mort, ce n'est pas la naissance, mais la seule vertu, qui fait la différence, c'est vous-même qui me l'avez enseigné. Mon inclination me porte aux affaires. Vous construisez, il collectionne, dit-elle en désignant Médicis, lui – elle montra son mari – a décidé de dépenser tout ce qu'il ne possède pas et de m'aimer.

Son rire cristallin se déversa dans le salon aux tentures de damas vert doré.

– Je collectionne aussi, intervint Giovan Giorgio, croyant que l'atmosphère se détendait.

– Il écoutait donc, le drôle, lança Alessandro qui, d'un regard puissant, fit comme magnétiquement basculer la tête de son gendre de nouveau vers la fenêtre. Dois-je vous rappeler, moi aussi, le poids et l'importance de ma prodigieuse collection de statues antiques ?

Médicis leva les yeux au ciel sans se retourner pourtant. La puissance d'un cardinal à cette époque s'évaluait au volume de sa collection d'antiquités et les trois hommes en présence participaient activement à cette compétition.

Clélia reprit son raisonnement, tentant de l'assouplir.

– Veuillez me pardonner, mon père, vous, le grand bâtisseur, mécène, lecteur, l'humaniste en somme. Moi, je ne suis que comptable, mais il me semble que mes idées pourraient servir, et peut-être même bouleverser la grande machine financière de notre sainte cité.

– Restez à votre place, c'est tout ce que je vous demande, soupira Alessandro, exaspéré de s'être avili à ce combat de coqs avec son gendre et ce petit Médicis ridicule dans sa tenue de soie aux broderies assorties à la rousseur de ses cheveux.

– Vous m'avez fait entrer de nuit à Rome, dit Clélia, tentant une caressante justification, ne me reprochez pas de m'y sentir le mieux à ces heures avancées. Mes yeux sont très fragiles et le soleil brûlant, éclairant trop les êtres, risquerait de dessiller mes illusions. Je préfère de loin l'obscurité, les lieux où les gens sont masqués, et pourtant point déguisés, où leur âme est à nu, où les cuirasses tombent. Faites-moi confiance, père, je garde l'écho de notre nom dans toutes les nuits du monde.

Des larmes montèrent aux yeux d'Alessandro. Mais il ne fallait pas flancher. Cette petite fille ne percevait pas les risques qu'elle prenait et qu'elle lui faisait encourir. Il réfléchissait vite. Il fallait placer une gouvernante auprès de Clélia, qui la surveillerait et le tiendrait informé de ses actions. Elle était enceinte, cela se justifiait. Quelle jeune femme n'avait besoin d'une mère en ces temps agités d'une grossesse ? Livrée à elle-même depuis son départ du château d'Urbino, en l'absence de sa tante Vittoria et de ses cousines, sa fille déraisonnait en croyant réfléchir. Il fallait l'assommer de tâches, briser ce triangle amoureux auquel elle ne saurait échapper si ce freluquet de Médicis dont elle ne se représentait pas les dangers passait encore son temps avec les Cesarini, et la ramener coûte que coûte dans le giron Farnèse.

4

C'est justement ce Médicis qu'Alessandro Farnèse vit arriver en carrosse le long de la route qu'il avait fait construire entre Monterossi et son château de Caprarola au nord-ouest de Rome. Droite et surélevée, elle offrait aux voyageurs un point de vue unique sur la campagne environnante cependant que la progression ascensionnelle révélait peu à peu le massif pentagone, chef-d'œuvre d'architecture militaire médiévale.

Le visage dévasté sous une guimpe enveloppant sa tête et son cou, Clélia était seule dans sa chambre en ce triste jour de novembre, seule à côté du petit cadavre de son nourrisson. Penchée sur son bureau face à la croisée ouvrant sur la campagne, elle écrivait à sa tante, l'unique femme à même de comprendre la douleur immense qu'elle ressentait :

« Ma chère Vittoria, ma tante chérie,

Tout ce qu'on a pu me donner jusqu'à ce jour n'est rien comparé à la peine abyssale qui m'accable. Je me promène dans les jardins majestueux de mon père et je ne ressens rien. Mon cher mari me parle et je ne l'entends pas. Notre ami Ferdinando vient juste d'arriver, il tente de me réconforter en me montrant les esquisses d'un portrait que son peintre, Zucchi, veut faire de moi, et c'est comme si je ne les voyais pas. Tout m'est indifférent.

Je n'ai pas réussi à protéger ma fille, qu'un ange vient de rappeler au ciel. Elle est en face de moi. Son petit corps recroquevillé dans un berceau couvert de langes rosés. Je voudrais la prendre dans mes bras, la ranimer, l'embrasser jusqu'à ce que mon souffle me quitte pour ne plus vivre qu'en elle, et tout cela est malheureusement inutile.

Cesarini vient souvent me parler. Il m'incite à faire des promenades, me promet qu'il restera avec moi le temps qu'il faudra. Pourtant je sais bien qu'il va me quitter bientôt pour retourner dans notre palais romain. Mon père lui fait des reproches incessants mais sa fougue et son amitié pour Ferdinando – la haine atavique de la famille Médicis contre les Farnèse est au cœur de ces litanies – donnent presque du courage et il ose maintenant le contredire. Tu sais comme le Grand Cardinal n'apprécie guère cela. Notre Illustrissime Seigneurie, que j'aime de toute mon âme, est très inquiète. Il me dorlote, mais il n'est pas toi, ma tante. Je ne montre que le quart de ce que je ressens, comme tu me l'as appris. En pure perte.

La seule idée de devoir recommencer le travail me tue. Je ne peux pourtant laisser Giovan Giorgio sans descendance. Je me sens coupable et inutile. Une mère qui ne protège pas son enfant, quel nom porte-t-elle ?

Je dois te laisser, quelqu'un vient. Mon père m'a donné cette chambre des Anges, à côté de la sienne, et je pleure sans discontinuer chaque fois que je vois sur le mur qui fait face à mon lit l'archange Gabriel et son bouquet de lis, si résigné, si heureux, représenté ici pour apaiser les yeux de ses occupants et qui me blesse aujourd'hui plus que tout.

Je te laisse, je souffre bien.

Ta Clélia, toujours à toi. »

Cesarini entra, accompagné de Ferdinando, en serge de soie noire de Florence, élégant et discret, toujours approprié aux circonstances.

– Votre père souhaite vous garder à Caprarola autant de temps que vous en aurez besoin, lui annonça Giovan Giorgio, feignant d'avoir ainsi obtenu quelque faveur de son beau-père mais redoutant la réaction de Clélia qu'il savait très attachée à leur vie romaine.

Il ne s'attendait pas à la voir fondre en larmes. Il ajouta doucement :

– Je pensais que l'air d'ici vous ferait du bien, vous permettrait de vous remettre plus vite pour me rejoindre dans quelques mois.

Au vu du redoublement des pleurs de sa femme, il se reprit :

– Quelques semaines… je voulais dire quelques jours. Ou rien du tout. Ma Clélia, ma tendre Clélia, me voilà à vos genoux.

Il joignit le geste à la parole.

– Décidez, je ne peux rien vous refuser, vous le savez bien.

Clélia le repoussa gentiment et, regardant les arbres perdre leurs dernières feuilles, elle déclara les yeux mi-clos :

– Je ferai ce que vous attendez de moi, toi mon mari, lui mon père. Je ne peux rien contre vos décisions. Je m'en remets à vous. Cette mort est un mauvais présage, le premier d'une longue série, je le crains.

– Il n'y a que les optimistes pour être surpris du malheur qui s'abat sur eux, intervint Médicis en s'agenouillant aux côtés de Cesarini devant Clélia. Votre peu de foi dans l'avenir me laisse au contraire confiant dans tout ce qui pourrait vous arriver, ma chère, ma belle Clélia. N'attendant jamais rien, vous ne serez plus déçue, et la moindre des bonnes nouvelles sera comme une surprise dans l'étang infini de votre désarroi.

Il se leva pour ouvrir les fenêtres sur le soleil dont la douceur contrastait avec le lourd malheur planant dans le palais.

– Un trépas peut aussi être une promesse de renouveau. Je vous enverrai Zucchi tous les jours désormais, ainsi que ces bonbons du Campo dei Fiori que vous aimez tant, et votre sourire renaîtra. Passez l'hiver ici, vous y serez bien mieux qu'à Rome. Vous reviendrez après le carnaval, et vous verrez, ma chère amie, comment vit une reine.

Clélia sourit tristement.

– Il n'y a de présages que pour les Cassandre, surenchérit son mari.

Clélia signifia d'un geste aux jeunes gens de la laisser, incapable de supporter plus longtemps les leçons de ces deux êtres sur lesquels les malheurs glissaient sans leur faire froncer le sourcil, qui ne pensaient pas plus au jour qui arrivait qu'à celui qui venait de s'écouler, fort jolis hommes, d'infiniment d'esprit mais de peu de tact, plus à l'aise dans les saillies, les oppositions, les cliquetis rapides de la conversation que dans le réconfort pérenne. Elle les laissa retourner à Rome et resta dans sa solitude, pour la première fois de sa vie, pressentant que ce ne serait pas la dernière.

5

Lorsque les cris du nourrisson résonnèrent dans la chambre de l'Aurore du palais de Caprarola, Clélia le prit dans ses bras, tiraillée entre la joie extrême d'avoir mis au monde un nouvel enfant, un fils qui plus est, et la terreur féroce que la fatalité ne se reproduise.

Avviso, 25 septembre 1572

[...] Voilà dix jours qu'à Caprarola, dans le célèbre palais d'Alessandro Farnèse, un descendant de Giovan Giorgio Cesarini est né. Il a une santé fragile et restera à la campagne jusqu'à nouvel ordre. On entend dire – même si je pense que c'est encore bien trop tôt pour le croire – que sa mère, la belle Clélia, sera de retour à Rome avant l'automne. On entend aussi dire, mais il nous faut nous préserver à tout prix de croire à ces commérages mal vérifiés, que le cardinal de Médicis ne serait pas innocent dans la naissance de cet enfant Cesarini. Encore une fois, ne nous avilissons pas à le répéter.

Longue vie à ce Giuliano qu'il nous tarde de voir arriver à Rome.

Le pape a aujourd'hui rendu visite à l'hospice du Borgo et y a donné une messe. [...]

Clélia jeta l'*avviso* d'un geste las. Elle était fatiguée par son accouchement, épuisée d'angoisse pour son Giuliano, ce bébé chétif à la santé douteuse. Comment les *menanti*, ces rédacteurs d'*avvisi*, étaient-ils déjà au courant de sa délivrance et de l'état de fragilité de son fils ? Qui lançait ces rumeurs aussi inutiles qu'absurdes ? Giovan Giorgio prenait, comme toujours, tout cela à la légère, n'y opposait que des « vous êtes lancée », « ils ne peuvent pas se passer de vous », « réjouissez-vous sans y prêter attention », « peu importe les mots tant que vous en êtes », qui ne faisaient qu'accroître les doutes de Clélia.

En attendant, elle restait à Caprarola. Chez ce père qu'elle admirait autant qu'elle le craignait.

Au moment où Clélia avait accouché de Giuliano, elle avait quinze ans, son père cinquante-deux déjà, et ces moments partagés dans leur palais éloigné de Rome les menèrent aux confidences. Alors qu'elle entamait sa vie, il amorçait la seconde moitié de la sienne, celle qui lui permettrait peut-être d'accéder à la fonction suprême qu'il convoitait depuis qu'il avait eu l'âge d'y songer. Du haut de sa superbe ambition, de sa magnificence feutrée, de sa voix qui semblait les contenir toutes, il se souvenait des folies de sa jeunesse où, sous l'égide de son grand-père, le vénéré pape Paul III, il avait participé aux premières fouilles des ruines de Caracalla.

– Nos palais naquirent de cette richesse inexplorée jusqu'alors. Les siècles qui nous précèdent avaient fait le choix des guerres perpétuelles, nous les avons maintenues en y ajoutant l'Art et le Beau pour convaincre plus encore que par le glaive. Nous avons restauré la gloire des Anciens, rendant à César ce que nous lui devions en l'intégrant à nos projets. Le Forum fut le théâtre d'une grandiose reconstruction. Et ces édifices en ruine, prêts à rendre l'âme, écrasés sous le poids d'une nature qui depuis des siècles envahissait la pierre, reprirent vie. Ces marbres striés de souches enracinées… C'était une désolation… Et vous retrouvez aujourd'hui dans nos palais des marbres du temple de Junon. Imaginez-vous la beauté de cette transmission ? De l'arc de Septime Sévère au palais du Capitole, plus de mille ans nous séparent et pourtant désormais, ils sont intrinsèquement liés.

Clélia écoutait son père tout en acceptant le nourrisson qu'une servante lui apportait après avoir vérifié ses langes. Giuliano avait les joues rouges, comme d'habitude, et des croûtes de lait lui couvraient le crâne, sous lequel son visage se présentait, bougon et railleur.

– Considérez ceci, poursuivit le Grand Cardinal, tout à sa démonstration : nos tables d'airain, sur lesquelles Auguste a fait graver ses triomphes sur les Égyptiens et qui résident aujourd'hui dans notre palais romain, croyez-vous qu'elles y soient à leur place ou eût-il fallu les laisser englouties dans les terres marécageuses du Forum, ou pire encore dans l'arrière-boutique d'un marchand ?

Le bébé poussa un cri strident qui arrêta le flux de son grand-père. Celui-ci le regarda, ému, et le prit dans ses bras pour le bercer sans néanmoins perdre le fil :

– Notre époque est celle de la Renaissance, que diable ! Une Athéna colossale, vêtue d'un bouclier de Méduse sur la poitrine et coiffée d'un casque empanaché, renaît au sens propre en ce moment même et sous nos yeux par l'intermédiaire des mains expertes des sculpteurs que je loge au palais. Certains se moquent de nous, disent que nous imitons, ce en quoi ils ont tort. Nous copions, bien sûr, mais n'est-ce pas le propre de l'art que de se rapprocher au plus près des merveilles de la Nature ? Surtout, nous re-créons, nous rendons à ces antiquités brisées la force de leur origine. C'est un combat qu'en tant que Romains nous ne saurions ne pas mener. Les siècles nous contemplent. Nous naissons avec une dette et un crédit, cela devrait vous parler, ma petite trésorière générale, ajouta le colosse empourpré dans sa robe de cardinal en donnant de ses doigts puissants une pichenette sur le menton de sa fille. Il lui rendit son fils, qui s'était calmé.

– Nous ne transformerons notre époque qu'en la recomposant d'après notre passé, et en fonction de nos envies futures. Ne laissons plus jamais paître des vaches et des moutons sur les ruines de notre avenir, ma fille, comprenez-vous ?

– Je comprends, mon père, dit Clélia qui l'écoutait, bien sûr, et acquiesçait à toutes ses justifications de pillage des sites antiques, mais ne pouvait s'empêcher de se préoccuper aussi de ce bébé qu'elle tenait dans ses bras.

C'était très étrange pour elle de découvrir ce nouvel être, de devoir s'habituer à lui. Elle n'avait pas eu de mère. Elle ne savait que ce que sa tante ou son père avaient bien voulu lui raconter et leurs récits étaient tellement flous qu'elle aurait pu se croire née dans un pétale de rose. Elle se doutait bien que sa mère vivait quelque part, elle sentait parfois sa présence, surtout depuis son installation à Rome, malgré la compagnie constante de gouvernantes en tout genre imposées par son père.

Maintenant qu'elle-même avait enfanté, qu'elle avait définitivement quitté l'époque bénie de l'âge tendre, Clélia ne pouvait plus rester aveugle aux réalités de l'engendrement. Mais son père semblait découvrir, lui aussi, la matérialité de la procréation. Il choyait ce nouveau-né et trouvait une sorte d'ascèse bruyante dans la présence de ce petit bébé criard dont il percevait la désinvolture vitale, cet être à peine né et qui semblait déjà compter les jours qui le séparaient du trépas en répétant sans se lasser le cri originel. Ce bébé le faisait réfléchir à la répétition de tout.

Alors qu'il n'avait été pour sa fille qu'une figure tutélaire à éclipse, il voulait élever ce petit-fils, comme si ce saut d'une génération pouvait rendre caduc le préjudice initial de l'illégitimité de sa fille. Giuliano était pleinement et officiellement de son sang, alors que celui de Clélia avait dû s'insinuer dans le silence brûlant de l'interdit. Giuliano était comme ces statues ressorties mille cinq cents ans plus tard de leur berceau originel, il symbolisait la renaissance de la lignée d'Alessandro.

6

Une fois que fut achevée la messe dédiée à l'Assomption de la Vierge célébrée par le Grand Cardinal dans la chapelle de Caprarola, Giovan Giorgio sollicita de son beau-père un entretien dans son cabinet de travail, il avait besoin de ses conseils. Il ne résistait pas à l'appel du front et souhaitait s'engager dans la guerre pour aider les forces alliées à vaincre Selim II à Tunis. La première réaction d'Alessandro fut d'éclater de rire, ce qui ne déconcerta guère son gendre, qui s'y attendait. Le bougre était déterminé. Alessandro s'assit derrière son bureau.

– Vous désirez donc vraiment nous quitter ? Risquer de ne jamais revenir pour un combat qui ne vous concerne pas ?

– Comment cela ? rétorqua Cesarini en prenant le siège que lui désignait Farnèse. En tant que gonfalonier du peuple romain, je considère de mon devoir de prêter main-forte à nos armées.

– Au risque de mourir ? Ce n'est pas un jeu, Cesarini. La victoire ne se résout pas en lançant les dés, il faut des armes, des hommes, un navire, et tout porte-drapeau que vous êtes, je doute que vous ayez les moyens ou les compétences pour une telle manœuvre. Et puis, que dira Clélia en voyant son mari la fuir pour combattre le Grand Turc ? Non, Cesarini, reprenez-vous, cessez de vous croire autre que vous n'êtes.

– Il m'importe. Et je ne vous permets pas, Illustrissime. Clélia sera fière d'avoir pour époux un héros de la guerre. Car je compte bien en revenir, et contribuer à la victoire.

– Alors pourquoi me demandez-vous conseil si vous êtes si sûr de votre compte ?

Giovan Giorgio croisa les mains sur le bureau du Grand Cardinal pour appuyer ses paroles :

– J'aimerais de vous, que j'ose appeler père, une lettre de recommandation auprès de votre frère qui dirige les armées et dispose de…

Cesarini fut interrompu par l'arrivée de Clélia, tenant son fils dans les bras. Sans un mot, la mine enjouée, elle le posa au sol et lui souffla :

– Va, Giulianetto, va voir ton papa.

Triomphante, elle lâcha ses petites mains qui manifestaient déjà par des mouvements leur volonté d'indépendance. Le garçonnet s'élança à pas malhabiles vers son grand-père qui s'était déplacé devant son gendre pour accueillir l'enfant. Giovan Giorgio, resté assis, applaudit à l'exploit. Alessandro se retourna alors et, d'un air confiant, promit à Cesarini de rédiger cette lettre à l'intention de son frère Farnèse de Parme.

– Vous pouvez nous quitter l'esprit tranquille, je me charge de Giuliano.

Prononçant ces paroles, il avait lâché la main du petit qui tomba en poussant un cri rageur que Clélia s'empressa d'étouffer par des caresses et des encouragements, rejointe par son mari qui enlaça à son tour son fils.

– Il vous faudra nous quitter aussi, ma douce Clélia, dit Alessandro en enlevant l'enfant des bras de ses parents, je prendrai soin de notre héritier, n'ayez tous les deux aucun remords. Votre mari emprunte la voie guerrière, il faut que vous-même rentriez à Rome tenir votre maison, qui ne peut rester inoccupée trop longtemps, et assurer notre réputation, sans excès, ajouta-t-il en souriant et en donnant une pichenette à l'enfant.

Percevant que Clélia n'était d'aucune confidence, Alessandro lui résuma l'affaire, attendant d'elle une obéissance docile. Clélia n'avait pas dix-sept ans, et alors qu'elle avait eu jusqu'ici un père cardinal et ambitieux, un mari indolent amateur de trictrac et un fils auquel elle commençait juste à s'habituer, elle devait sans discuter se retrouver affublée d'un bon-papa gâteau, d'un guerrier conquérant et se voir ôter l'attribut qui lui revenait de droit, son enfant. Son indignation fut telle que son père fit appeler la nourrice :

– Prenez le petit, lui dit-il d'une voix douce, sa mère n'est plus en état… Tu vois bien que ton fils ne manquera de rien ici, reprit-il alors que Clélia observait, impuissante, Giuliano partir dans les bras de la bonne sans un regard pour elle, concentré uniquement sur le nouveau hochet que celle-ci agitait devant lui. Nous serons bien tous les deux, je te promets d'en prendre soin comme ta tante l'a fait de toi à ma place.

Clélia, sous le choc, ne pouvait prononcer un mot.

La séparation ne tarda guère et Cesarini dut prendre la mer quelques semaines plus tard pour rejoindre la Sainte Ligue. Elle fut déchirante, car Clélia aimait son mari. Elle avait, malgré ses incartades aux tables de jeu, confiance en cet homme qui l'avait épousée avec tant de gracieuse bonté. Il la comprenait et l'élevait à chaque heure, écoutant ses avis et ne la réduisant pas au statut d'épouse indésirable. En somme, il la considérait. Et leur entente, grâce à son bon caractère, se révélait à la fois constante et animée de fantaisie.

Au moment des adieux, Giovan Giorgio, semblant se persuader lui-même d'avoir fait le bon choix, resta sérieux, ce que Clélia prit pour de la froideur, sans soupçonner la larme d'angoisse que son mari contenait pour ne pas l'effrayer, et pour la première fois, l'union de leurs cœurs habituellement si solide la déçut.

Une fois les chevaux partis dans un nuage de poussière qui encombra longtemps ses pensées, elle se tourna vers son père, qui l'enlaça comme lorsqu'elle était petite fille et lui promit une surveillance continue de son mari par son frère auquel il l'avait bien recommandé ; il lui accorda en outre de rester à Caprarola jusqu'à la fin de l'été.

Comme, chez ce père, la compréhension de l'âme humaine s'était toujours subordonnée à la connaissance des arts, il reprit ses récits du temps où Clélia n'existait pas encore, désireux de lui transmettre l'héritage de cette Renaissance à l'apogée de laquelle elle était née, dix-sept ans plus tôt. Il revint à la période qu'il préférait, celle de ses vingt ans.

– L'année 1540, lui racontait-il, vous n'étiez pas encore née et j'avais tout juste vingt ans, a marqué un tournant majeur dans la physionomie de notre cité et de nos palais. Sans le bref du 22 juillet, si ma mémoire est bonne, et elle l'est toujours – voilà quelque chose qui ne me fait jamais défaut, ajouta-t-il de l'air satisfait qu'emprunte l'homme dont la jeunesse n'est plus et qui ne se rend pas compte qu'il s'adresse à une jeune fille, à qui le nombre des années et les stigmates d'une compétence qu'elle ne conçoit pas comme périssable restent inaccessibles puisque inconcevables.

Clélia sourit tout de même gentiment, avec une pointe de compassion qui n'échappa pas à Alessandro, dont le désir de poursuivre son développement nostalgique fut plus fort que l'instinct de prendre pour un affront ce qui n'en était pas un.

– Le 22 juillet 1540 donc, sous l'impulsion de votre arrière-grand-père, un bref fut publié, qui allait réserver à la fabrique de Saint-Pierre le monopole des fouilles, dans Rome et en dehors, en tous lieux, publics et privés. Par cette décision, votre aïeul mettait fin au pillage et au gâchis, et se donnait le pouvoir de déterminer ce que la Rome moderne sauverait de son histoire.

Giuliano entra dans le cabinet de travail d'Alessandro et grimpa sur les genoux de son grand-père, lui tirant les oreilles, la barbe et couvrant son visage de ses mains potelées et maladroites. La conversation ne put que s'interrompre tant l'enfant était décidé. Clélia les observait tous deux, et se résolut à accepter la demande de son père de rentrer à Rome. Peut-être était-elle de trop entre cet homme et son héritier…

Pour la première fois de sa vie, Clélia était, non plus chassée de la cité vaticane, mais encouragée à y séjourner. Elle y retourna, déboussolée, à la fin de l'été, sans mari, sans père, sans enfant, avec une suite digne d'une princesse, mais terriblement seule.

Elle dut ainsi prendre carrosse et redescendre cette route droite qu'elle avait gravie presque deux ans plus tôt, en proie aux terreurs de son accouchement imminent. En même temps que le pentagone de Caprarola diminuait à chaque foulée des chevaux pour ne plus former qu'un point lointain à l'horizon, il lui semblait que son fils Giuliano rétrécissait lui aussi. Alors qu'il venait de faire ses premiers pas, elle le voyait retrouver sa forme embryonnaire, dans l'antre de son père cette fois. Malgré toute sa bonté et la justification qu'il trouvait à ses actions, cet homme ne pouvait s'empêcher de s'approprier ce qui ne lui appartenait pas : ses antiques, elle-même, et maintenant son petit-fils.

Il faisait une chaleur étouffante en cette fin de mois d'août et, bien avant d'atteindre la porte Flaminia au nord de Rome, on dut faire arrêter les chevaux dans une auberge pour les laisser boire et se reposer. Malgré sa robe légère en percale claire que quelques rubans de soie seulement venaient rehausser, Clélia attira immédiatement tous les regards et fit cesser les conversations. Les *menanti* reconnaissables à leurs doigts tachés d'encre la désignèrent du menton en caressant leur chope de bière d'un air entendu, les prêtres arrêtèrent leur partie de dominos, les serveuses posèrent leur plateau. Le bruissement qui retentissait jusque dans la cour s'estompa un moment. Un garçonnet chaussé de sandales en cuir vieilli, vêtu d'un pourpoint aux manches flottantes beaucoup trop grand pour son petit corps, ne quittait pas Clélia des yeux.

L'aubergiste dégagea une banquette près du foyer éteint et fit signe à la nouvelle venue, qui s'installa enfin avec une partie de sa suite. L'effet de surprise passé, les conversations, les rires et les disputes reprirent tandis que la cuisinière de Clélia revenait de l'arrière-salle – elle n'avait pu s'empêcher d'aller vérifier la qualité des produits – rouge de colère, et tirant sur son jupon pour lui redonner sa forme initiale, suivie d'un hôtelier adipeux visiblement satisfait, portant un broc de vin tiède et puissant que Clélia sentit sans y goûter.

La fournaise de l'auberge l'écœurait et elle en sortit pour

se diriger vers le lac de Bracciano qui la bordait, espérant s'y rafraîchir. Des enfants jouaient joyeusement dans l'eau tandis que leurs mères lavaient quelques affaires. Clélia observait ce spectacle, assise sur la rive, lorsque le garçonnet de l'auberge s'approcha, la mine inquiète. Il lui tendit une feuille de mauvais papier et s'enfuit en courant. C'était son portrait.

Clélia étudia le dessin et lui trouva une grâce imprévue, un trait délicat, une proportion parfaite. Cet enfant semblait avoir sondé son âme. Au contraire de tous les portraits d'elle réalisés par des peintres reconnus, qui la montraient conquérante, ce petit être sensible avait perçu sa détresse, la représentant le visage appuyé sur une main gracile à peine capable de la soutenir, le regard mélancolique et songeur.

Elle retourna dans la taverne. Le petit peintre croquait une scène de jeu entre soldats et pèlerins. Ils se sourirent.

Les chevaux s'étaient reposés, il fallait repartir si l'on voulait entrer dans Rome avant la nuit. Un *menante*, sacoche à l'épaule, la bouscula alors qu'elle allait monter dans son carrosse et lui lança un regard qui la transperça. Un regard noir, assassin et tranquille.

À peine remise de ses émotions, passée en moins d'une heure du sublime, avec ce dessin d'enfant dont le génie sautait aux yeux, au mesquin à travers la rencontre de ce *menante* à la mine affamée que rien ni personne ne pourrait satisfaire puisqu'il ne vivait que pour et dans le lendemain, c'est en somnambule qu'elle pénétra dans son palais du Largo di Torre Argentina, situé juste derrière le Panthéon.

Elle traversa le vestibule et alla immédiatement s'effondrer sur son lit dont les étoffes vertes et roses lui offrirent un écrin rassurant. Elle déposa le dessin de l'enfant dans un volume du Tasse sur lequel elle s'endormit. À son réveil, Ferdinando de Médicis l'attendait, un *avviso* daté du matin à la main.

7

– C'est par les *avvisi* que j'apprends votre retour, ma chère amie, pas une lettre depuis des mois ? Je m'inquiétais… Alors, cette auberge ? demanda-t-il en souriant, moqueur et séducteur à la fois. Je sais tout, ne me dites rien. Vous êtes rentrée seule, votre fils Giuliano est resté chez votre cardinal de père et votre mari guerroie – ça, je n'avais pas besoin des *menanti* pour le savoir.

Ferdinando n'avait, lui, aucune nécessité de partir en guerre puisque son état de cardinal suffisait à lui conférer l'autorité de siéger à Rome sans se sentir coupable ni lâche. Il préférait de loin les intrigues romaines aux stratégies martiales, et la compagnie des femmes à celle de soldats empuantis. Clélia, en proie la veille à une profonde mélancolie, sursauta face à cette entrée en matière abrupte de son ami Médicis. Elle ne savait quelle attitude adopter devant cet homme, dont le nom seul annonçait plaisirs et pensées coupables et qu'elle s'efforçait de ne considérer que comme l'ami intime de son mari. Elle ressentait pourtant un bien-être immédiat à le revoir après ces longs mois aux côtés de son bébé criard et de son bavard de père. Pour la première fois depuis le départ de Giovan Giorgio, elle retrouva un semblant de gaieté spontanée. Peut-être n'était-elle pas faite pour la maternité, songeait-elle, avec moins de tristesse qu'elle ne l'aurait pensé.

Ferdinando posa l'*avviso* sur un buffet sculpté et Clélia s'installa dans une chaise à bras de brocart rouge, remuant légèrement sa jambe droite et laissant ainsi dépasser une petite chaussure en fil de soie doré. Ferdinando s'agenouilla à ses pieds, rejetant d'un geste théâtral sa cape noire et dégageant ainsi ses mains qui vinrent encercler avec douceur le petit pied offert. D'un geste vif, elle se releva, attrapant au passage un chou à la crème sur un plat que sa cuisinière avait apporté.

– Que ferons-nous aujourd'hui, mon ami ? lui demanda-t-elle alors qu'il se relevait lestement lui aussi.

Non que l'absence de Giuliano ne lui pesât plus, mais les distractions que ce cardinal en bas de soie ne tarderait pas à lui proposer l'enchantaient d'avance. Il se rapprocha d'elle et, lui prenant les mains, il lui souffla :

– Tout.

La gouvernante de Clélia, dont la vigilance avait été trompée par cette incursion matinale de Ferdinando, arriva essoufflée et les jeunes gens retrouvèrent une distance respectable. Comment faisait ce petit homme, dont l'embonpoint commençait à gâcher les traits, pour garder intacte sa souveraine force de séduction ? Étaient-ce ses fines moustaches, le blond vénitien de ses cheveux, son teint frais, ou plutôt son esprit, toujours prêt à l'insolence ? Clélia se le demandait en passant altièrement devant lui pour suivre sa gouvernante qui la menait au salon. D'un clin d'œil, elle lui fit signe de la rejoindre et Ferdinando s'exécuta.

– Commençons par nous rendre chez moi, où Zucchi nous attend pour vous peindre à fresque. Après, nous aviserons…

– Viendrez-vous avec nous, ma chère duègne ? s'enquit Clélia avec un sourire étincelant d'espièglerie, cédant à la mode espagnole voulant qu'une gouvernante s'appelât ainsi.

– Je ne saurais manquer cela, répondit celle-ci d'une voix haut perchée qu'elle souhaitait douce et taquine mais qui ressembla à la flamme avortée d'un dragon repenti.

Un poireau sur le menton agrémenté de poils durs et blancs, des yeux flétris par les années dont les pupilles seules avaient gardé une méchanceté qui ne la quitterait que dans la tombe, des cheveux clairsemés toujours relevés pour masquer une calvitie naissante sur le haut du crâne et un duvet moqueur prenant chaque année du terrain sur ses joues : la gouvernante avait beau être au service de Clélia, elle était restée fidèle comme un basset à son seul seigneur et maître, le Grand Cardinal.

L'étrange trio s'élança donc pour rejoindre en carrosse le palais de Ferdinando. Bien qu'il fût très proche du Largo di Torre Argentina, la saleté des rues ne permettait pas de s'y rendre à pied. La majorité de la population romaine s'entassait dans cette boucle du Tibre qui longe le Champ de Mars, où ordures et déjections jetées par les croisées dans ce dédale de venelles larges d'à peine la carrure d'un homme s'ajoutaient aux détritus et restes d'animaux de boucherie. Les rues et les passages tortueux étaient encombrées par des balcons, escaliers, échoppes et portiques débordant sur la chaussée, si bien que deux chariots ne pouvaient s'y croiser. Les carrosses avaient bien du mal à s'insérer et le trajet était long malgré la proximité des lieux.

Parvenus enfin dans la cour d'honneur du palais des Médicis, Clélia et Ferdinando montèrent en riant le large escalier qui menait à la vaste salle des Éléments, la duègne peinant à les rattraper. Que c'était bon de renouer enfin avec sa féminité, Clélia avait le sentiment de revivre !

Zucchi les attendait, perché sur un échafaudage et figurant des anges dans un médaillon de la voûte. C'était un homme jeune, grand et fin, au visage allongé, comme un bébé qui eût été étiré à la naissance et en aurait gardé les stigmates. Des cheveux raides coupés juste au-dessus des épaules encadraient cette figure énigmatique et pouponne à la fois. Tout chez lui donnait une impression serpentine, sa voix, son regard coulant, et même sa façon de tenir son pinceau. Il n'était pas venimeux, fort heureusement pour Clélia et Ferdinando car il était leur premier témoin, omniprésent et toujours discret.

Après avoir renvoyé ses apprentis, le peintre installa Clélia dans un petit canapé et lui demanda de laisser sa main droite reposer près du bras extérieur du fauteuil tandis que l'autre devait retomber mollement sur ses genoux de façon à créer une torsion intéressante de son corps.

Une fois ses cheveux relevés et attachés par un collier de perles blanches et irisées, Clélia prit sa pose habituelle, celle qu'elle savait plaire aux peintres, la bouche close mais non inébranlable, le menton légèrement baissé pour rendre son nez plus gracile et donner à son regard une profondeur distante. Pour qu'un portraitiste soit heureux, Clélia le savait, il fallait ne penser à rien pendant ces séances interminables : un regard totalement vide donnerait l'impression d'une plénitude heureuse. À l'instant où elle voulait insuffler autre chose à ses yeux, Zucchi relevait son pinceau et lui demandait de baisser le menton, comme si cet acte de volition ne pouvait se dissoudre que par un fléchissement du visage. C'est ce qui différenciait les portraits d'elle réalisés par des peintres reconnus et celui, si singulier, de l'enfant de l'auberge. Elle pensa qu'il fallait qu'elle montre ce délicieux dessin à Ferdinando. Mais où l'avait-elle rangé ? Elle ne pouvait s'en souvenir. Un livre… sûrement un livre… c'est là qu'elle laissait au hasard le plaisir de lui réserver de bonnes surprises.

Ferdinando observait Clélia avec désir. Celle-ci ayant demandé à sa gouvernante d'aller quérir en cuisine quelques fruits et de la pâte d'amande douce, il profita de son absence pour se rapprocher de son amie et lui murmurer à l'oreille qu'elle serait nue dans la version définitive de la fresque, et que Zucchi n'osait lui demander de baisser un peu sa robe qui entravait la pleine mesure de sa beauté vénusienne. Clélia, horrifiée, se leva immédiatement.

Ferdinando n'insista pas. La graine était semée et il attendrait patiemment son éclosion. Il ne pouvait traiter Clélia comme il faisait des autres modèles de son peintre.

– Ne le prenez pas mal, ma chère, très chère Clélia. Ce n'était qu'une demande respectueuse d'un artiste à sa muse que la suggestion de votre nudité suffira amplement à satisfaire.

Il se recula au moment où la duègne revenait, l'œil sévère, suivie du chambellan, chargé d'un plateau regorgeant de sucreries. Il s'excusa alors de ne pouvoir s'attarder. Une entrevue avec le pape Grégoire XIII l'attendait, il ne serait pas long à revenir et espérait que la séance de pose ne serait pas terminée pour profiter encore de la délicate présence de son invitée.

Ayant revêtu sa tenue cardinalice, il s'éloigna d'un pas pressé, sans jeter le moindre regard à Clélia, et tendant la tête vers son maître écuyer, il le laissa y déposer sa barrette rouge. Quelques instants plus tard, on entendit un sifflement auquel un bruit de sabots répondit.

Clélia écourta elle aussi la séance, laissant Jacopo Zucchi désarmé, et rejoignit son carrosse dans lequel elle resta mutique face à sa duègne dont les reproches latents commençaient à la lasser. Elle réfléchissait à la proposition de Ferdinando et ne savait comment la traiter. Son rang et sa situation exigeaient qu'elle ne lui adressât plus la parole sans excuses de sa part mais son inclination tendait à ne rien lui refuser.

Son père l'avait souvent mise en garde contre Ferdinando, et contre les Médicis en général, qui considéraient depuis un siècle que la fortune des Farnèse leur était due, puisque sans leur catin d'ancêtre – ainsi nommaient-ils ainsi la belle Giulia Farnèse, qui avait régné sur Rome pendant dix longues années aux côtés de son amant le pape Borgia – ils ne seraient jamais devenus une famille éminente de la cité vaticane.

Viles querelles, chamailleries ridicules, songeait Clélia en regardant tristement les échoppes du quartier du Champ de Mars lorsque la main d'un mendiant vint se coller à son carrosse. Il lui manquait trois doigts. Les yeux révulsés, il faisait l'aumône, jurant contre les Turcs qui l'avaient estropié, ces Ottomans sans pitié. Clélia demanda à son cocher de lui donner quelques pièces, un sourire édenté vint la remercier de sa bienfaisance et elle eut l'image de son mari au combat contre ces Turcs en ce moment même…

Elle avait cru que Médicis pourrait la désennuyer, mais sans Giovan Giorgio à ses côtés, il redevenait le petit cardinal vulgaire et autoritaire qu'il avait sans doute toujours été. C'était leur trio qui le grandissait. Elle pria pour ce mari qu'elle admirait plus que tout aujourd'hui, espérant qu'il lui revienne indemne, l'esprit aussi vif qu'alors et son amour pour elle intact et non pas étouffé par les étendards et les arquebuses.

8

À la sortie des laudes, Clélia, suivie de sa gouvernante, rentra à pied de l'église del Gesù que son père avait fait bâtir et qui se situait à quelques pas de son palais du Largo di Torre Argentina. Elle appréciait ces minutes à marcher seule, dans l'aube à peine naissante, pendant lesquelles personne ne venait lui parler, l'entraîner dans quelque réception, mander sa signature pour une affaire urgente… Elle repensait à cette séance de pose chez Médicis et se sentait salie. Elle aurait eu besoin d'une épaule réconfortante pour soulager sa conscience, et l'absence de son mari lui pesait. Écrire à sa tante, comme elle le faisait chaque semaine depuis qu'elle l'avait quittée, ne lui servirait de rien, sa réponse mettrait trop de temps à arriver pour la réconforter de façon immédiate. Clélia, malgré la peur qu'il lui inspirait parfois, décida de rendre visite à son père, rentré la veille à Rome. Poursuivant sur sa lancée, elle voulut y aller à pied. Sa gouvernante tenta de l'en décourager, les rues n'était pas sûres, même le matin, et le trajet, trop long, risquait de l'éprouver.

– Mais vous marchez bien, vous, lorsque vous vous rendez au marché ou chez notre maître boucher ? Ne vous inquiétez pas pour moi, je suis plus résistante qu'il n'y paraît.

– Que Madame change au moins de souliers, ceux-ci sont en satin, ils vont être tout crottés.

Clélia rit, elle n'y avait pas songé.

– Vous n'avez qu'à me donner les vôtres, tandis qu'un garde m'accompagnera. De la sorte, tous les problèmes seront résolus ! Je ne veux nullement vous inquiéter, juste réfléchir et me promener pour la première fois à l'air libre dans ma ville, car c'est autant la mienne que celle des industrieux, n'est-il pas vrai ?

La duègne grogna mais enleva ses chaussures.

Et Clélia s'élança, sabots de bois aux pieds, dans le dédale des ruelles, dûment suivie par deux gardes attentifs. Depuis son carrosse, elle n'avait jamais ressenti aussi puissamment l'énergie de cette ville dont elle croyait connaître les moindres secrets. Elle découvrait les odeurs qui en émanaient, un mélange de boue, de pisse, de volailles et de viandes en tout genre accrochées aux devantures des commerces, mais, au détour d'une rue, elle se trouvait soudain en Orient, devant l'étal d'un marchand d'aromates. Le bruit de la cité aussi se révélait à elle, fait de clameurs, de conversations qui jaillissaient des encorbellements pour atterrir jusqu'aux échoppes leur faisant face, de rires, de jurons, de marteaux cognant le fer, de tonneaux roulant vers les auberges, de cliquetis de roues de carrosses aussi, auxquels elle devait prendre garde, protégée par ses hommes qui la retenaient pour lui éviter de se faire broyer au même titre que les commerçants, artisans, mendiants, pèlerins qui se bousculaient à chaque pas. Une ville inconnue, somme toute, bien loin des discussions feutrées de salon. Une ville d'une vivacité stimulante.

Clélia humait, regardait, écoutait tout dans un écœurement ravi, elle redevenait l'enfant d'Urbino se lançant à la découverte des bois, s'accrochant à l'enseigne d'un verrier comme alors aux branches des arbres, plongeant ses mains dans les épices en les faisant doucement couler entre ses doigts comme hier l'eau de l'Adriatique. Ses gardes la réprimandaient, reprenant le rôle naguère tenu par sa tante Vittoria. Rien ne manquait à la scène et elle riait en se laissant guider.

Elle arriva ainsi devant le palais de la Chancellerie. Des prêtres la menèrent jusqu'à son père. Il écoutait les récriminations d'un évêque des Pouilles qu'il congédia à la seconde où il aperçut la robe maculée de poussière et d'éclaboussures de sa fille. L'air inquiet et reconnaissant, il s'approcha d'elle tout en raccompagnant le ministre de Dieu, qui rassemblait ses feuillets tant bien que mal, pressé par la main que le Grand Cardinal lui adressait à baiser. Essoufflé et rouge encore de colère, l'évêque s'exécuta et sortit en bougonnant. Quand les gardes suisses eurent fermé la porte, Clélia et son père rirent aux éclats de la scène en s'enlaçant, heureux de se retrouver.

– Ma petite sauveuse crottée ! Que vous est-il arrivé ? lui

dit-il en l'écartant de lui et la faisant tourner pour admirer l'étendue du massacre. Je vois en plus que vous avez chaussé vos plus beaux souliers pour venir me rendre visite ! s'amusa-t-il en découvrant les sabots de la gouvernante. Que me vaut l'honneur, ma petite beauté ?

– Mon père, vous m'avez bien manqué. Tout me manque d'ailleurs en ce moment, s'effondra Clélia en prenant un siège.

La découverte de Rome, la joie de revoir ce père qu'elle aimait tant, l'absence de son mari, celle de son fils retenu à Caprarola, la mauvaise conduite de Médicis, tous ces sentiments remontèrent et elle fondit en larmes, acceptant le mouchoir brodé aux armes des Farnèse que lui tendit son père, tandis qu'elle balbutiait des plaintes décousues.

Il la serra dans ses bras, moins habile au réconfort qu'à la plaisanterie et, gêné, tenta de reprendre dans l'ordre la liste des récriminations. Il lui donna d'abord de bonnes nouvelles de son fils ainsi que son premier dessin, un ours accroché à une colonne surmontée d'un aigle, blason des Cesarini. Clélia sourit et ses larmes diluèrent les trois figures représentées par les doigts gourds du petit Giuliano. Son père lui laissant le temps nécessaire pour reprendre ses esprits, elle se demandait lequel de ces éléments elle pouvait bien figurer aujourd'hui pour ce fils qu'elle n'avait plus à ses côtés. Elle s'espérait colonne, roc inflexible et infaillible, sur lequel se reposait l'aigle puissant. Et pourtant, il suffisait à Rome de regarder par la fenêtre pour voir que même une colonne pouvait être ensevelie en un jour.

– Sa nourrice le berce en lui racontant la vie romaine de sa maman et les exploits guerriers de son papa, expliqua Alessandro, comme s'il entendait les interrogations muettes de sa fille. N'ayez crainte, même si Giuliano n'est pas près de vous, il ne vous oublie pas, vous êtes son repère.

Clélia acquiesça, résignée, l'œil encore humide, tandis qu'Alessandro inventait des anecdotes venues du front où Giovan Giorgio se trouvait sous la protection de son oncle par alliance, le duc Farnèse de Parme. Il en vint enfin au sujet qui le préoccupait le plus : la présence malfaisante de ce petit Ferdinando qui s'ingéniait à fréquenter Clélia, un séducteur, un insolent, un Médicis en somme.

– Sans Cesarini à vos côtés, vous ne devez pas accepter de le recevoir, ma fille. Cet homme, quelques qualités que vous lui accordiez, est non seulement une mauvaise fréquentation pour une jeune femme, mais aussi un danger pour vous.

Clélia ne pouvait s'empêcher d'entendre l'antique *non solum sed etiam* de son père et soupirait déjà intérieurement. Que lui avait-il pris de venir lui confier ses peines de cœur ? C'était un logicien, un esthète, un mécène… Il ne serait jamais un confident. Mais il était lancé et elle ne put arrêter la philippique.

– En refusant à Ferdinando de vous voir seule, il faut que vous gardiez l'exégèse du texte sacré des dynasties italiennes en tête, consciente qu'à Rome, la souveraine habileté consiste à savoir la bien cacher, et que ce qui paraît générosité et amitié n'est souvent qu'ambition déguisée qui feint de mépriser les petits intérêts pour s'en assurer de plus grands.

Clélia hocha la tête, la mort dans l'âme, incapable d'admettre que pour Ferdinando, qu'elle considérait comme un ami, le seul véritable qu'elle eût à Rome, elle ne fût qu'un instrument. Elle n'avait d'autre choix et promit de ne plus le recevoir en l'absence de son mari – son père leva les yeux au ciel au nom de Cesarini. Malgré tout l'amour qu'il portait à sa fille, il ne pouvait tout à fait masquer le peu de respect que lui inspirait cet homme oisif et joueur, rejeton d'une famille antique... Quelle blague ! Enfin, soupirait-il intérieurement, si sa fille était heureuse...

Il la raccompagna dans la cour d'honneur du palais de la Chancellerie et demanda à un garde de préparer son carrosse pour la ramener.

Clélia choisit de se faire déposer au mont Palatin. Elle avait besoin de réfléchir dans les jardins de son père et s'était toujours bien sentie dans ce petit *casino* face au Forum et à l'Arc de Titus.

Alors qu'elle jouait avec l'eau de la fontaine, Costanza Sforza, une de ses connaissances romaines, traversait le parc en compagnie de Ferdinando et d'une suite d'autres jeunes gens. Le soleil de la fin de matinée avait séché la rosée et s'apprêtait à atteindre son zénith lorsqu'ils fondirent sur elle, lui proposant à grand renfort de gestes et de rires de se joindre à eux : ils se rendaient dans le *casino* Colonna à quelques pas seulement de celui des Farnèse. Pressée par tous, Clélia accepta, prit le bras que lui offrait la jolie Costanza et ils pénétrèrent dans le pavillon palatin de cette historique famille.

Clélia avait déjà assisté à de nombreuses fêtes à Rome, mais de ce genre, jamais. Le maître des lieux l'accueillit et, découvrant ses sabots, il rit à la cantonade :

– La petite Farnèse déguisée en fermière, quelle jolie idée ! Venez ici, ma belle ! Et crottée en plus de cela !

Il la reniflait, enfonçant son visage rouge et suant dans les plis de sa robe, et se délectait :

– Hummm, quelle saleté, toute la boue de Rome dans ces nippes de princesse ! Quelle inventivité, je ne vous croyais pas si audacieuse ! Venez admirer, vous autres !

Clélia profita de cette apostrophe pour donner un léger coup de sabot à ce Colonna malaisant, tandis que Ferdinando baissait la tête, honteux d'avoir insisté pour que Clélia les suivît.

– Allez, allez, intervint Costanza qui craignait l'esclandre, nous ferez-vous enfin entrer, cher Marcantonio ? Bas les pattes, ajouta-t-elle à la seule intention de leur hôte, c'est sa première fois, soyez gentil et laissez-nous nous imprégner de l'atmosphère avant d'en demander plus.

Le cardinal Colonna, camerlingue du Sacré Collège, s'inclina et leur ouvrit la voie, les faisant pénétrer au salon, dont toutes les croisées s'ouvraient sur le Forum de leurs aïeux. Après une telle entrée en matière, Clélia ne fut plus même surprise de ce qui l'attendait : du vin en abondance, des hommes gras se faisant monter par des jeunes femmes de seize ans tout au plus, poitrines ouvertes, des claques jetées à l'envi, des hommes enlacés aussi, et sur les murs, peints dans chaque recoin, des madones et des chérubins. Elle crut vomir et demanda sèchement à quitter les lieux. Costanza n'insista pas et la raccompagna jusqu'à la porte. Médicis s'y tenait encore, acceptant le verre que lui tendait un serviteur couvert uniquement d'une peau de tigre. Il ne sut quelle attitude adopter et se contenta de s'incliner au passage de Clélia tandis que celle-ci entendait au loin le gémissement déçu du maître des lieux :

– Ma belle fermière s'enfuit…

Clélia et Costanza, à l'air libre, marchaient en silence l'une à côté de l'autre. Clélia observa cette femme qu'il ne lui serait jamais venu à l'esprit de considérer comme amatrice de parties fines, et ses contradictions lui apparaissaient dans toute leur puissance : de presque dix ans son aînée mais encore jeune fille puisque non mariée, tendre souvent, mais capable de la plus grande froideur, sûre d'elle, de sa beauté et de son lignage, milanaise à Rome, romaine à Milan, fervente admiratrice de Dieu et grande sceptique de l'âme humaine.

Malgré un visage fin et harmonieux, Costanza avait fait craindre le pire à ses parents. Le destin s'était acharné sur chacun de ses prétendants : l'un avait été assassiné par son cousin un jour de chasse, un autre avait perdu un œil au cours d'une sanglante bataille avant de rendre l'âme, tandis qu'un troisième avait malencontreusement succombé, la veille de leur mariage, à la chute d'une poutre sur son crâne.

Les parents de Costanza étaient sur le point de l'envoyer au couvent, persuadés que plus aucun prétendant ne se risquerait à briguer sa main qu'une malédiction semblait entourer, jusqu'à ce qu'une éclaircie balaie cette mauvaise fortune : le pape Grégoire XIII, fraîchement élu, avait besoin des forces armées de Milan, réputées depuis des siècles pour leurs mercenaires intrépides, pour apaiser des territoires dans la région des Marches et y consolider son pouvoir et ses revenus. Il acceptait en retour de marier son fils Giacomo, légitimé dès sa naissance et nommé chef de l'armée papale au début de son pontificat, à la fille des Sforza, maîtres de Milan. Depuis, Costanza régnait sur Rome comme son futur mari sur les gardes suisses de la cité vaticane, et les *avvisi* priaient ironiquement pour qu'aucune mésaventure ne vienne confirmer la *scomunia* qui frappait la longue liste des fiancés de la demoiselle.

– Est-ce une habitude ? demanda enfin Clélia tandis que Costanza écartait la branche d'un arbuste sur leur passage.

– Ce que vous pouvez être jeune et naïve, ma petite ! Il y a des fêtes à Rome, oui, c'est exact. Certaines plus fréquentables que d'autres. La beauté et la foi existent elles aussi, et c'est tant mieux. Quand quitterez-vous donc vos airs pour comprendre que la contradiction est humaine et qu'elle n'est point à juger avec sa raison mais avec son cœur ? Que les plus grandes décisions ne se prennent pas uniquement dans la chapelle Sixtine mais aussi dans ces *casini* du mont Palatin ? Remettez-vous maintenant de vos émotions et parlez-moi plutôt de votre mari. Avez-vous des nouvelles de la guerre ?

– Le courrier est bien lent en ces temps troublés, mais je prie chaque jour pour lui et son armée. Et j'espère qu'il sera bientôt de retour, j'aimerais à l'avenir éviter de vivre seule si longtemps à Rome. Hélas, à quoi m'avancerait-il de le préoccuper de mes inquiétudes et de les ajouter aux siennes, qui doivent être légion ?

– Vous avez bien raison, ma petite amie. Et Médicis ? Ne vous embête-t-il pas trop depuis que Giovan Giorgio n'est plus à Rome ? Il peut être collant, vous savez.

Et Costanza se lança d'un ton léger, semblant avoir déjà oublié le spectacle des lieux dont elles sortaient toutes deux.

– C'est qu'il m'avait presque fait la cour, cet animal ! Emmenée dans les ruines antiques, tiens, comme ici ! où il m'a récité du Dante et du Suétone, m'invitant à toucher les colonnes encore debout pour sentir le poids du passé et la charge reposant sur nous, me proposant même ce décor pour me faire peindre. En pure perte. Il ne me plaisait pas et, pour tout dire, il n'était guère du goût de mon père, qui craignait que par cette alliance l'arrogance des Médicis ne porte ombrage à notre grande lignée des Sforza. Heureusement, le parti de Giacomo s'est présenté et nous n'avons plus eu à hésiter.

Clélia s'assit sur un banc de pierre dominant l'ancien temple de Vesta et Costanza la rejoignit, sans s'interrompre pourtant :

– Il faut vous en méfier, vous devez rester sur vos gardes, ma chère petite mariée. S'il vous fait la cour à vous aussi, ce qui je crois n'est une découverte pour personne, je vous en prie, profitez sans vexer. Vous connaissez la susceptibilité des hommes. Un mari n'en veut pas à sa femme de le tromper. Si ses incartades restent discrètes, il peut même en être soulagé, lassé lui-même d'une fidélité d'apparat. De la même manière, un prétendant peut se voir refuser un accès auquel il aspire, tant qu'il garde le sentiment que sa virilité n'est pas mise en question. Hélas, n'aimer guère en amour est le meilleur moyen de se faire aimer…

» Et surtout prenez garde : lorsque les hommes rencontrent de la résistance, ce qui a l'air d'être le cas entre vous et Médicis, la folie les guette et alors, plus ils aiment celle qu'ils voudraient voir devenir leur maîtresse, plus ils sont près de la haïr… Flattez son amour-propre, tout en continuant à vous refuser à son amour si cela vous plaît, mais n'oubliez jamais que ces sentiments sont tous les deux constitutifs de son être.

» Mais suis-je sotte ! Vous êtes installée ici depuis trois ans déjà et je vous vois toujours comme la petite fille de quatorze ans fragile et délicate que vous étiez à votre arrivée. Vous avez dix-sept ans aujourd'hui, un fils, un mari, un prétendant… Vous êtes finalement bien plus avancée dans le monde que votre pauvre amie, vieille fille de vingt-cinq ans qui prendra peut-être époux dans deux ans, si son fiancé ne succombe pas à la malédiction qu'on connaît !

Clélia écoutait cette femme qui feignait de s'excuser de lui avoir prodigué des conseils sans que rien lui eût été demandé et sourit au chleuasme de son amie, haussant un sourcil fatigué. Tant d'injonctions contradictoires pour des désirs qui en son cœur ne l'étaient pas moins la laissaient exsangue. Percevant la lassitude de Clélia, Costanza changea de sujet et lui rappela que le jubilé débutait dans deux mois, elle voulait qu'elles y assortissent leur robe ! Les Della Rovere avaient opté pour le jaune, les Colonna pour le rouge, les Orsini seraient en vert. Il leur restait le bleu. Elle proposait de s'accorder pour un dégradé de l'indigo au ciel.

Costanza battit des mains, ravie devant l'acquiescement de Clélia et elles rejoignirent leur carrosse tout en continuant à bavarder de choses et d'autres.

Une fois seule, Clélia s'effondra sur la moelleuse banquette du carrosse paternel. Le long du Tibre, elle décela une agitation anormale. Le pont de Santa Maria, au sud de Rome, avait cédé. Clélia demanda à arrêter les chevaux pour observer la scène. La solidarité régnait au milieu du chaos. À l'aide de morceaux de bois, les survivants aidaient les naufragés à regagner la rive. Elle soupira. Que valaient ses soucis face à la violence que subissaient ces hommes, ces femmes et ces enfants ?

Lorsqu'elle rentra enfin dans son palais du Largo di Torre Argentina, elle fit demander à sa gouvernante de lui apporter un verre de lait au miel bien chaud, ces visions l'avaient glacée. Son désarroi s'évanouit en même temps que le liquide brûlant se répandait doucement dans sa gorge, comme un baume réconfortant. Elle prit une grande inspiration, écarta ses paupières pour donner de l'air à ses prunelles, redressa les épaules puis, appelant sa couturière, elle lui commanda une tenue azur et prononça pour elle-même : « *Avanti.* »

9

Le pont de Santa Maria emporté par les crues fut reconstruit quelques semaines plus tard par Grégoire XIII qui conduisit une grande procession et posa le premier pied sur les lattes de bois fraîchement clouées, sous l'œil effaré des fidèles accourus en masse admirer le courage de leur souverain pontife.

Giovan Giorgio Cesarini l'emprunta à son tour lorsqu'il revint enfin de la guerre. Entrant dans son palais, il salua Clélia avec une distance qui la fit frémir, elle qui aurait voulu le serrer dans ses bras. Le Grand Cardinal, ayant appris les faits et gestes de son gendre par l'entremise de son frère qui commandait le front, ne l'appela plus que « le cocu de la guerre » pendant la semaine qui suivit son retour. Car, à défaut d'avoir prouvé sa bravoure militaire, Giovan Giorgio avait réussi à dépouiller tous les soirs ses alliés à divers jeux de hasard. Finalement, résumait Alessandro en tapant sur l'épaule de Cesarini, la guerre avait été pour lui quelques mois de grande liberté et de bonne fortune.

Clélia ne goûtait guère ces plaisanteries qui animaient

les prunelles de son père d'une lueur mauvaise, mélange de mépris et d'envie.

Giovan Giorgio avait maigri pendant ces mois loin de Rome et son caractère, hélas, avait été bien changé par les attaques des armées turques, quoi qu'en dise son père. De léger et frivole, il adoptait désormais une attitude inquiète qui ne lui seyait guère, une inégalité d'humeur, une incertitude dans la conduite de ses actions ordinaires et parfois même une distance de cœur. Clélia l'avait quitté adorateur béat de ses grâces et de sa conversation, il lui revint distrait, préoccupé sans cesse, indifférent à leurs jeux d'hier.

Pendant des jours entiers, il s'enfermait avec son secrétaire dans un des cabinets du palais pour y rédiger mémoires et testaments alors qu'il n'avait pas vingt-cinq ans. L'effervescence joyeuse qu'il faisait régner en tout, autrefois si charmante, s'était mue en un trouble dont Clélia prit Médicis pour témoin et confident, oubliant un temps leur différend.

Dans cet élan commun de recouvrer un passé partagé, le trio se reconstitua tant bien que mal mais leurs rôles se modifièrent sensiblement. Clélia devint l'interlocutrice privilégiée de Ferdinando pour ce qui concernait les affaires sérieuses de Florence et de Rome, tandis que Cesarini remplaça son épouse dans celui de potiche à amuser.

Cette nouvelle confiance que le jeune cardinal lui accordait la toucha. Son père Cosimo venait de mourir, ce qui avait eu pour conséquence de propulser son frère Francesco au rang de grand-duc de Toscane. Les cabales se multipliaient chaque jour contre sa façon de vivre avec sa maîtresse Bianca Cappello, une Vénitienne que le peuple abhorrait. Clélia aidait Ferdinando à rédiger différentes missives à son frère, mais aussi à ses amis florentins, pénétrant tout à fait l'art machiavélique du pouvoir qui distinguait l'ambitieux cardinal : prêchant ici le faux pour connaître la vérité, louant là-bas le nouveau grand-duc de Toscane qu'il dénigrait auprès d'un autre, amadouant Bianca tout en accablant son frère de reproches concernant sa conduite.

La cour, encore en deuil du grand Cosimo Ier qui avait gouverné Florence avec tant de discernement, ne pouvait qu'être hostile à son successeur et Ferdinando, en grand parieur, percevait qu'il avait les cartes en main pour succéder un jour à son frère, accomplissant ainsi le destin que lui avait prédit l'horoscope de sa naissance : succéder à son père, malgré sa position de cinquième fils de la fratrie.

Tout en passant de plus en plus de temps ensemble à discuter des affaires toscanes, ni Ferdinando ni Clélia ne perdaient leur objectif de vue : rendre à Cesarini sa gaieté. C'est ainsi qu'ils le firent peindre lui aussi, à fresque, en miniature, en portrait, armé et conquérant, ou en joueur, attablé dans sa position préférée, dans des toiles laissées aux bons soins de Zucchi.

Ils le sortirent, le firent danser, se déguiser, jouer des mystères dans des décors dressés dans la cour du palais du Largo di Torre Argentina. Ils lui présentèrent des sculpteurs pour poursuivre la restauration des antiques de sa collection. Rien ne fut omis pour lui redonner le goût de la vie, tandis que tout lui fut ôté pour la diriger.

Clélia le laissa même prendre des maîtresses, indifférente à celles-ci puisque aucune ne pouvait entrer en concurrence avec elle, que son mari continuait à adorer malgré tout, lui reconnaissant désormais des talents diplomatiques qui le déchargeaient de la nécessité de réfléchir, activité qui l'avait toujours profondément ennuyé.

L'année 1575 qui s'amorçait n'était pas anodine puisqu'elle serait marquée par la célébration du premier jubilé depuis les conclusions du concile de Trente vingt ans plus tôt, qui avaient affirmé la suprématie de la foi catholique sur les pratiques luthériennes et calvinistes jugées dissidentes. Grégoire XIII le déclara extraordinaire et invita plus de deux cent mille pèlerins de toutes les provinces et de toutes les confréries à rejoindre Rome.

Giovan Giorgio reçut la charge d'étudier les cahiers de doléances de ces fidèles. Le triomphe de l'Église se devait d'être complet et ses représentants furent sommés de se montrer exemplaires pendant toute la durée de cette année sainte. Ordres furent donnés aux ecclésiastiques de porter en toute occasion leur habit religieux, de ne pas circuler en carrosse dans la ville, de ne pas déjeuner ou dîner en présence de dames et de loger, autant que possible, dans les hospices créés pour eux. Ce respect de la vie religieuse se ressentit dans toute la ville. Les hôteliers, tentés de tirer profit de l'afflux de pèlerins, en furent d'avance découragés par la menace d'être châtiés. Giovan Giorgio plaça ainsi des prélats aux portes de Rome pour interroger les voyageurs à leur sortie de la ville et enregistrer leurs plaintes éventuelles.

Clélia rit de cette mission confiée par le pape aux familles de la noblesse romaine, soupçonnant son mari d'avoir monnayé cette tâche pour avoir l'excuse de passer plus de temps dans les tavernes remplies de femmes de joie, de braillards et de joueurs. Face aux moqueries de sa femme, Giovan Giorgio se drapa dans sa dignité de gonfalonier du peuple romain et de protecteur des pèlerins de l'année sainte. Clélia cessa ses plaisanteries, voyant que son époux, chargé enfin d'une fonction matérielle, même anecdotique, y trouvait du réconfort et semblait quitter l'état d'apathie qui le désorientait depuis son retour de la guerre. Il aimait donc à récolter les avis de la voix populaire, grand bien lui fasse, tant qu'il reprenait goût à la vie.

Ferdinando était lui aussi très accaparé par de continuelles visites dans les hospices de Rome, célébrations de messes, réceptions, et Clélia était la confidente de ses frustrations. Face à la grandeur et à la magnificence du palais ducal de Florence et de la galerie des Offices, Ferdinando se sentait misérable. Les dimensions et l'état de son propre palais du Champ de Mars, situé pourtant en plein centre de Rome, ne lui convenaient plus. Un Médicis, considérait-il, qui plus est frère du grand-duc de Toscane, ne pouvait s'en satisfaire. Sa rente suffisait à peine à payer des écuries pour ses chevaux, des chenils pour ses chiens, des entrepôts pour ses provisions tandis que, pour ses *familiari*, il en était réduit à louer des habitations aux Colonna dans les escaliers desquelles, servant visiblement de latrines, régnait une odeur pestilentielle dont chacun se plaignait. Hélas, les missives qu'il adressait à Francesco Ier n'y changeaient rien, le grand-duc restait sourd à ses plaintes. Clélia l'aidait à rédiger les lettres en partance pour le duché de Florence. En connaisseuse du cœur des femmes, elle savait choisir les mots justes pour amadouer au moins Bianca Cappello, la maîtresse du grand-duc.

Les *avvisi* s'en donnaient à cœur joie, recensant les échecs de Ferdinando pour acquérir le palais du Tribunal auprès de la Chambre apostolique, dirigée par le père de Clélia, qui, malgré les supplications de sa fille, se faisait un plaisir, entre deux offices, de refuser à ce petit Médicis la possibilité de l'acheter, puis de faire, innocemment toujours, courir auprès des *menanti* le prix exorbitant offert par le jeune rejeton de la famille de banquiers.

« La grandeur de cœur ne se mesure pas à la taille des palais », aimait à répéter le Grand Cardinal Alessandro, installé dans son fauteuil de velours grenat aux passements reliés de soie et d'or, dans son salon d'Hercule dessiné par Michel-Ange.

Un an passa ainsi, en saintes actions et intentions malignes, en processions sublimes et en dîners occultes, réunissant ces hommes de la Renaissance finissante, bons et complaisants envers l'Église, mécènes invétérés, collectionneurs, attachés aux traditions et amateurs de nouveautés, fidèles à leur lignée et voulant la dompter, hâbleurs et corrosifs, attachants et grotesques, subjugués par leur Dieu et sous le joug de leur pape.

Les champs de ruines étaient en train d'épuiser leur manne, les plus grands artistes s'éteignaient, le Quattrocento n'était plus : ni Léonard de Vinci, ni Michel-Ange, ni Bramante, ni Raphaël n'avaient trouvé de successeurs. Vasari peinait à imposer ses nouveaux apprentis. Jacopo Zucchi, malgré son talent à rendre Clélia plus envoûtante encore sur une toile qu'au naturel, ne serait jamais destiné à servir l'Histoire autrement que comme un bon artisan. Tous ses mécènes, Ferdinando lui-même, en étaient conscients. Alessandro aussi cherchait un nouveau souffle parmi les artistes et les sculpteurs qui demeuraient dans son palais, lui qui avait vu, enfant, travailler le grand Michel-Ange. La chapelle Sixtine ne pouvait pourtant rester orpheline. Il fallait sans cesse innover pour asseoir encore et toujours la réputation et la domination de Rome et du Vatican.

Et cette année grandiose et majestueuse se termina à la truelle lorsque le pape Grégoire XIII, entouré de ses cardinaux et suivi des confréries en procession, étala de la chaux sur le seuil de la Porte Sainte, plaça quelques pièces d'or et d'argent entre les briques ointes que les maçons du Vatican scellèrent précautionneusement, condamnant l'accès à cette porte qui ne se rouvrirait que pour le jubilé suivant, vingt-cinq ans plus tard.

Au terme d'une infinité de tractations, Ferdinando finit par avoir raison de son frère, des patriciens romains et du Grand Cardinal et signa le contrat d'achat qui allait transformer sa vie ainsi que le visage de la Ville éternelle, puisque au nord de Rome, dans ce qui était encore la campagne, un édifice s'apprêtait à devenir la villa Médicis.

10

La galerie des Offices contenait des trésors, certes, mais cette villa sur la colline du Pincio, au nord du Quirinal, dominant Rome et son Champ de Mars, assurerait la gloire de Ferdinando. Le monde apprendrait ainsi que Cosimo Ier et Lorenzo le Magnifique avaient un successeur.

Médicis se présenta fièrement auprès de Clélia un matin de février, un carrosse l'attendant dans le cortile. Alors qu'elle levait un œil sceptique, Ferdinando, d'humeur joyeuse, déposa un baiser sur sa main déjà gantée pour sortir.

– Le voulez-vous ? lui demanda-t-il. Voudrez-vous être la première dame à passer le seuil de mon humble demeure perdue là-haut dans les vignes au-delà de la Trinité-des-Monts ?

Elle ne le reconnaissait pas. Lui toujours si affecté semblait se laisser aller à un accès de joie franche. On aurait dit un enfant frustré trop longtemps par son frère, qui finit par réussir, après des mois de tentatives infructueuses, à se hisser assez haut sur ses petites jambes potelées pour attraper un jouet jusqu'ici défendu. Un éclair de malice ne quittait pas ses yeux, il torsadait sa moustache dans l'attente du verdict de Clélia. La jeune femme, consciente de l'enjeu, surjoua et prononça un « Oui, je le veux » distinct qui fit hausser le sourcil de sa duègne, les surprenant ainsi, la main de Clélia encore dans celle de Ferdinando, les yeux dans les yeux.

Se ressaisissant, Clélia se tourna vers elle et refusa sèchement d'être accompagnée. Elle la congédia comme une simple servante, lui demandant de prévenir son mari Giovan Giorgio de son départ pour la villa Médicis, sans se soucier des conséquences d'une telle action sur sa réputation, et sur l'honneur de la famille Farnèse dont son père ne cessait de lui rappeler la priorité. Elle avait vingt ans et, après avoir accordé un acquiescement insouciant à Ferdinando, elle venait pour la première fois de prononcer distinctement le mot « non ».

À cet instant, elle décida de ne plus se laisser dicter sa conduite, d'ignorer les reproches de son père sur son mode de vie ou son incapacité à produire d'autre descendance que le faible Giuliano, toujours reclus chez son grand-père à Caprarola, d'oublier les écarts de son mari et ses virées dans les tavernes et dans les salles de jeux où il perdait en une nuit l'équivalent de ce qu'un paysan romain gagne en une année. S'accordant à l'état d'esprit joyeux de Ferdinando, elle accepta son bras et s'envola avec lui à travers les rues de Rome encombrées, comme à toute heure du jour, de charrettes, de manants, de pèlerins.

Serrés sur la banquette, les rideaux du carrosse fermés, les jeunes gens laissèrent la douceur d'être ensemble les envahir, au cœur de la foule et du bruit. Ils n'échangèrent que peu de paroles pendant ce trajet, leurs regards en disaient assez.

Les montures hennirent et le cocher fit halte, ils étaient arrivés. Ferdinando aida Clélia à descendre et ils contemplèrent Rome depuis le promontoire. Après un silence ému, sans quitter des yeux l'immensité de la cité, Ferdinando prit la parole :

– Certains diront que ce site est indigne. J'ai entendu les brocards décochés par votre père à la Chancellerie, qui soufflait l'autre jour au cardinal Carafa qu'à défaut du Champ de Mars, j'avais obtenu de mon frère un exil auprès des vignerons du Pincio.

– Très fin de sa part… Le Grand Cardinal n'aime guère être dominé, et avec cette villa, vous vous situez bien plus haut que lui. Son petit *casino* du mont Palatin ne rivalise pas avec ce que vous avez là, mon cher Ferdinando. Les Romains s'y habitueront.

– Je ne crois pas que ce soit une simple question de hauteur topographique, rit Ferdinando. Votre père et moi nourrissons la même ambition, et Grégoire XIII n'est pas éternel.

– Il vient à peine d'être élu ! Laissez-lui quelques années avant de vouloir déjà l'enterrer pour le remplacer.

– Ce n'est pas ce que je dis. Mais lorsque je contemple ici, à vos côtés, l'éternité de notre grande ville, Saint-Pierre qui nous protège tous – il montra à droite la basilique papale –, juste en dessous de nous, le Colisée, le Panthéon, votre palais, ma chère Clélia, le Forum, tout le vieil Empire à mes pieds, des coupoles et des clochers à perte de vue, c'est la Rome antique et moderne que je manœuvre depuis mes tours du Pincio.

Ferdinando respirait bruyamment, les mains posées fermement sur la balustrade de pierre, exalté. Il se tourna vers Clélia qui jouait distraitement avec sa manche en regardant la villa, imposante, avec sa loggia en serlienne et ses jardins à perte de vue.

– Alors, mon cher Ferdinando, que va devenir ce petit bijou ? lui demanda-t-elle. J'imagine que vous allez y apposer votre sceau ?

– Il y a beaucoup à faire pour que renaissent les ruines de Lucullus. Vous avez lu Tacite, je suppose ?

– Bien entendu, *audaces fortuna juvat…*

– La fortune sourit aux audacieux ? C'est Virgile, répliqua Ferdinando, indulgent. Non, Tacite, la plus grande commère de l'histoire de Rome !

Clélia s'excusa de son erreur, Ferdinando reprit sans s'y appesantir.

– Attendez, vous allez voir où je veux en venir, et je vous préviens, ce n'est pas joli à entendre. Vous souvenez-vous de cet homme mi-gaulois, mi-germain, ce Valerius Asiaticus qui devint consul sous Auguste ?

À le voir caresser ses moustaches finement séparées sous l'arête du nez et passer ses doigts dans ses cheveux légèrement bouclés mais coupés court et relevés en arrière, déjà clairsemés sur les tempes, Clélia le comparait à un jeune précepteur tentant de convaincre son élève des vertus d'un grimoire poussiéreux.

– Pas du tout, mon savant cardinal, mais poursuivez.

– Eh bien, il a continué sa carrière, le bougre : sénateur sous Caligula, il est élu consul sous Claude, honneur rare à cette époque. Il aurait dû s'en contenter. Il eut le malheur de racheter ces jardins que Lucullus avait rendus magnifiques soixante-dix ans plus tôt sous Sylla puis Pompée. Selon Tacite, ce Valerius avait fait ériger un gigantesque amphithéâtre dédié à Jupiter. Ces transformations attisèrent la jalousie de la femme de Claude, la capricieuse, dissolue et scandaleuse Messaline. Elle parvint à convaincre son mari que ces somptuosités nuisaient à son pouvoir. L'empereur condamna Valerius à mort, prétextant un complot ourdi par ce grossier étranger dont l'ascension exceptionnelle mettait à mal la vieille aristocratie des sénateurs. Résultat, il s'ouvrit les veines à l'ombre de ses pins, ici même ! conclut Ferdinando, extatique.

Clélia le contemplait, stupéfaite. Il attendit qu'elle parle.

– Et vous y lisez un bon présage ? tâtonna-t-elle.

– Un excellent, ma chère ! Et je vais m'assurer que tout Rome connaîtra désormais cette légende ! La putain Messaline et l'empereur jaloux. L'étranger dégourdi, empêché dans sa progression par le vieux monde ! C'est si beau et si tragique, héroïque et sanglant ! Non seulement je viens d'obtenir du pape l'autorisation d'organiser des fouilles sur la colline du Pincio sans limite de temps – je vois déjà les marbres jaunes de l'amphithéâtre décrits par Tacite entrer dans ma collection ! –, mais je veux redonner vie aux jardins de Lucullus. Cette villa chargée d'histoire va renaître aux yeux de Rome et la province du Pincio deviendra la huitième colline de notre Sainte Cité, à la barbe de votre satané père. Croyez-moi, ils vont tous se battre pour venir habiter ici. Mais heureusement, ils ne pourront que caresser ce rêve. Tous les terrains qui l'entourent m'appartiennent.

Ferdinando éclata d'un rire franc.

– Et vous ne savez pas tout…

Qu'avait-il encore déniché pour rendre l'histoire de sa villa toujours plus scabreuse ? se demandait Clélia en levant un sourcil soupçonneux.

– Messaline, cette même Messaline qui fit assassiner Asiaticus…

– Qui le fit plutôt condamner à mort, si je vous ai bien suivi ?

– Certes. Donc, cette Messaline, alors qu'elle était légalement mariée à l'empereur Claude, accepta la proposition de son amant Silius de l'épouser officiellement avec toutes les solennités ordinaires, « à cause même de la grandeur du scandale, dernier plaisir pour ceux qui ont abusé de tous les autres ». Là, ma chère, s'interrompit-il, comme le dit Tacite, vous ne pouvez, hélas, en témoigner encore, mais l'imaginer, peut-être.

– Le secret d'ennuyer est celui de tout dire, cardinal, allez au fait, répondit Clélia plus sèchement.

– Bien, reprit Ferdinando, étonné de cette rebuffade. Messaline devint bigame en épousant ce Silius. Claude, convaincu par son conseiller Narcisse, résolut de la châtier. Et, dans ces mêmes jardins de Lucullus, elle fut assassinée avant son jugement.

Ferdinando acheva son développement l'air bougon.

– Vous avez le don de gâcher les belles histoires, vous.

Clélia, pour le dérider, lui suggéra de lui décrire les embellissements qu'il allait apporter aux constructions déjà sublimes du feu cardinal Ricci, le précédent propriétaire de la villa, qui l'avait acquise dix ans auparavant.

Ferdinando s'exécuta de bon cœur. Le faire parler était encore le meilleur moyen de le ramener à de bonnes dispositions. Il faisait doux et les silhouettes ocre des palais romains entaillaient le bleu laiteux du ciel hivernal.

– Avec la collection Della Valle que je rêve d'acquérir, les frises décorées de rinceaux d'acanthes que je vais installer sur la façade côté *piazzale*, les faunes, les Apollons, les Bacchus, les Ganymèdes, la tête colossale de Trajan…

Il se frottait les mains de joie et de revanche par anticipation.

– Si ce que j'ai en tête se réalise, ce sera prodigieux ; nul, jamais, ne m'appellera plus le petit cardinal, et vous, vous cesserez de me considérer comme un gentil animal de compagnie un peu fou à qui l'on passe ses sottises puisqu'on sait qu'il a mauvais caractère.

– Ce n'est pas du tout comme ça que je vous vois ! C'est intrigant, tout de même, cette obsession contre les Farnèse…

– Vous savez, au fond, ce qu'elle signifie. Aucune Vénus ne parviendrait à vous égaler, Clélia, mais le plaisir de les posséder toutes pourrait me distraire de celui de vous sentir si lointaine. Vous installez une distance dans nos échanges qui me fait presque redouter de songer à vous parler d'amour.

– Étonnant, murmura-t-elle.

Et les mots de Costanza sur la susceptibilité des hommes à qui l'on se refuse lui revinrent en mémoire.

Elle examina Ferdinando, ses grands yeux inexpressifs et ronds, sa bouche fine, son menton rebondi et elle pensa à une carpe. Une grosse carpe doucereuse et complexe sur le dos de laquelle elle aimerait naviguer jusqu'au Colisée. Et cette image la fit rire. Elle ne se l'expliquait pas, mais lorsque cet homme la regardait, son désir était tellement évident et sa puissance si incontestable qu'elle ne pouvait s'empêcher de lui tenir tête.

Lui que tout Rome surnommait Sardanapale, du nom de ce roi d'Assyrie légendaire pour son luxe et sa débauche, lui qui avait séduit la moitié des femmes de l'aristocratie et éconduit l'autre moitié, lui dont le nom seul pouvait acheter n'importe quel commerce de cœur ou de raison, lui que quiconque connaissait et admirait, Clélia ne prétendait qu'à une chose : le voir rougir, de vexation ou de désir, sans jamais, se plaisait-elle à croire, succomber.

Ferdinando commençait à se lasser de la relation inégale qu'il entretenait avec cette jeune femme, être ambigu qui pensait se dérober au moment où elle se donnait le plus, et qui se refermait à l'instant où elle semblait ouverte. Il faudrait la forcer un peu, songeait-il en la voyant réfléchir, sur le perron de sa villa, au milieu des statues posées contre les murs en attente de piédestaux. La jolie Costanza Sforza, quoi qu'elle en dise aujourd'hui, ne s'était pas montrée aussi difficile que son amie Clélia, qu'il dévorait des yeux alors qu'elle jouait avec ses boucles blondes.

Deux êtres peuvent s'observer pendant des heures, partager des plaisirs, des contrariétés, affronter ensemble l'adversité, ils ne seront jamais même près de connaître l'exactitude des pensées qui régissent l'entendement de l'autre. Personne ne peut se targuer de comprendre quiconque, pas même l'artiste qui avait fait naître la cuisse de l'Aphrodite du marbre que Ferdinando caressait en rêvant ainsi.

Il eut alors une vision de Clélia en oiseau exotique, d'un type nouveau, insaisissable et coloré, usurpateur et enchanteur, sirène moderne propre à l'inspiration. Et il l'entraîna dans un pavillon construit à l'appui de la muraille d'Aurélien qui encerclait la propriété. Emportée par l'enthousiasme de son compagnon, Clélia s'engouffra avec lui dans ce petit *studiolo* niché dans les pierres. Leurs visages n'étaient éclairés que par l'étroite fenêtre orientée vers l'ouest. Les murs étaient préparés à la chaux, mais aucune peinture ne venait encore disposer de leurs esprits. Avant que Clélia pût comprendre ce qui était en train de se préparer, Ferdinando se rapprocha d'elle, ferme, infaillible.

– Ici, vous serez à moi seul, Clélia. Plus de Cesarini, plus de Farnèse, plus de galants Romains. Ceci sera notre *studiolo*, le Pavillon des oiseaux, dans lequel Zucchi va peindre pour nous *a fresco* une volière enchanteresse. Plus un centimètre de mur ne sera libre, tout sera recouvert d'oiseaux, de nymphes, de grotesques, de vous, Clélia, pour vous, et vous seule. Nous avons déjà ici notre accès secret – il lui montra une porte dérobée qui descendait directement vers Rome par un chemin abrupt –, sans avoir à emprunter la voie principale ni donc à être vus des domestiques du palais ou des *menanti* qui guetteraient alentour. Je vous en donne l'unique clef, faites-en bon usage.

Il la lui confia. Elle l'accepta. Il osa s'approcher, elle ne recula pas.

Il effleura ses mains, qui renfermaient le fer brossé de la clef, remonta doucement sur son bras. Clélia le laissa faire. N'était-elle pas désormais libre et enchaînée à ce Médicis entreprenant ? Messaline moderne, bel oiseau encagé ? Son corsage se défit sans qu'elle en prît conscience, et la moustache de Ferdinando vint effleurer sa peau. Elle en ressentit un plaisir inattendu et violent. Elle agrippa son amant par les cheveux et s'abandonna à lui tout entière, dans ce pavillon, au sommet de la ville. Ferdinando, surpris de tant de facilité, goûta ce bonheur en connaisseur de l'âme féminine, sachant que ce qui lui était offert aujourd'hui pouvait lui être refusé le lendemain. Le premier adultère est le plus difficile, comme le premier assassinat. La dague une fois plantée au cœur de l'ennemi entache à jamais celui de l'agresseur. Le scrupule naît plus tard, selon le goût et l'inclination de chacun. Soit l'assouvissement du désir inexprimé jusqu'alors mène à la volonté de retrouver la sensation originelle et de consacrer sa vie à tenter de la capturer de nouveau, entretenant le désir, soit le dégoût l'emporte et il faut alors laisser au temps le soin de parachever son œuvre. Qui tue, tuera ; qui trompe, trompera.

Appuyé contre la paroi humide de l'enduit déposé par le peintre, Ferdinando s'évertuait, par un exploit, à rendre le doute qui suivrait l'acte plus léger. L'esprit de Clélia ne se laissait pas encombrer de telles considérations, tout au plaisir de la découverte. Dans cette petite volière en devenir, elle chantait, haletait, se sentait vivre enfin, heureuse et, le croyait-elle, complice.

Lorsque son amant la raccompagna au palais Cesarini, la lueur qu'elle surprit dans les yeux d'un passant curieux vint assombrir son humeur. Au risque d'être vue, elle avait écarté le rideau de velours aux armes des Médicis, celles bien connues du lion caressant un boulier, clamant ainsi aux yeux du monde, sans en avoir conscience, sa relation naissante avec le cardinal. Le regard de cet homme lui inspira un sentiment diffus d'angoisse et elle serra plus fortement la clef du pavillon qu'elle tenait encore dans sa main. Qui était ce passant à la sacoche brune ? L'éclair dans ses yeux réveilla sa mémoire : c'était le *menante* de l'auberge. Celui qui l'avait bousculée au moment de monter dans son carrosse à son départ de Caprarola, après la naissance de Giuliano ; le même qui s'était inspiré de son passage à la taverne pour colporter les pires rumeurs sur la paternité de Giuliano, lui attribuant celle de Médicis plutôt que de Cesarini… Elle croyait que son père l'avait fait jeter dans un cachot. Que faisait-il donc ici, sur son chemin ? La poursuivait-il ? Qu'allait-il encore inventer ? À la solde de qui travaillait-il ? Elle s'en ouvrit à Ferdinando qui rejeta l'hypothèse d'un complot dirigé contre elle d'un geste désinvolte, comme on écarterait une mouche, ravalant ses craintes à de dérisoires chimères.

Il la quitta dans le vestibule du Largo di Torre Argentina, lui baisa respectueusement la main en murmurant « Revenez vite », puis claqua la langue en direction de son cocher, sans monter voir son ami Cesarini qui les regardait depuis la fenêtre, l'air soucieux.

11

Lorsque Clélia parut dans son salon, son père l'attendait, furieux ; Cesarini se tenait près de lui, la duègne inflexible à ses côtés. Cette vieille peste s'était immédiatement acquittée du devoir de rapporter l'attitude révoltée de Clélia à Alessandro, qui avait quitté la Chancellerie pour se rendre au Largo di Torre Argentina tancer la contrevenante. Il avait également pris soin de blâmer la gouvernante de s'être ainsi laissé abuser par sa fille, lui affirmant que cet écart serait le dernier et que si pareille aventure venait à se reproduire, elle perdrait sa place.

Le sermon d'Alessandro dura jusqu'à la nuit, alternant récriminations, tentatives de persuasion et propos délirants – il était convaincu qu'un des membres de la Chancellerie cherchait à l'empoisonner et accusait Médicis. Clélia l'écoutait distraitement, toute au bonheur encore de ces instants partagés avec Ferdinando, son amant. Elle se répétait ce mot, « amant », pendant que son père clamait l'honneur des Farnèse, et elle riait intérieurement. Elle étudiait le visage de son géniteur rougir, violacer même lorsqu'il éructait, blêmir en songeant à sa réputation.

– Si vous continuez ainsi, vous n'allez pas tarder à devenir une figure des satiristes romains, de ces ignobles *pasquinate* ! Ma propre fille que je chéris… Une Farnèse ! Est-elle là, la gloire à laquelle vous aspirez ?

Clélia avait vingt ans et n'était plus ingénue. Elle appartenait désormais à la catégorie des femmes, que le mariage protège et qui n'ont rien à craindre de leurs aventures. Giovan Giorgio était gentillet lui aussi, trouvait-elle, à confirmer les dires d'Alessandro et à hocher la tête de concert, quoique toujours avec un temps de retard, incapable qu'il était d'anticiper les reproches du Grand Cardinal, lui qui en aurait eu tant à essuyer si l'envie prenait à quiconque de se mêler de son train de vie. Dieu, qu'il était heureux que sa mère fût morte et d'être ainsi l'unique dépositaire de sa conduite ! Clélia l'observait, ce mari dont elle appréciait tant l'indolente sagesse, qui jouait aujourd'hui l'homme fâché, et elle essayait d'imaginer son occupation de la veille : cabaret, taverne, jeu, prostituée ? Il l'avait quittée après dîner et n'était revenu qu'au matin…

Au moment où Alessandro concluait que Clélia devait se résoudre à accepter ses lois, quoiqu'elle demeurât chez son mari, et que si celui-ci n'était pas en mesure de les faire appliquer, il engagerait plus de surveillance, un domestique entra dans le salon, portant un petit coffre en bois fruitier travaillé *a certosina* et recouvert de trois plaques d'ivoire, l'une, en façade, décorée du blason des Médicis, l'autre, sur le couvercle, représentant une parade amoureuse de paons, et la troisième, à l'arrière, un rossignol chantant au milieu des vignes. Clélia rougit et ordonna à sa camériste de déposer l'objet dans sa chambre. Son père l'arrêta d'un geste autoritaire.

– Un présent ? demanda-t-il d'une voix neutre.

D'un air calme, il le prit et l'examina, en connaisseur, une moue de dédain sur les lèvres. Puis, il plongea ses yeux dans ceux de Clélia pendant un temps qui parut infini à la jeune femme, tandis que Giovan Giorgio se tournait vers les tentures de cuir polychromes qui réchauffaient les murs du salon pendant les mois d'hiver.

– Vous le voyez, mon père Sérénissime, répondit Clélia en faisant une révérence soumise.

Cette démonstration de tendresse de Ferdinando, si elle avait été accomplie dans le secret de leur pavillon, eût été de meilleur goût. Ici, dans son palais du Largo di Torre Argentina, face à son père et à son mari, elle prenait une dimension ostentatoire et la plaçait dans une situation dangereuse.

– Et d'où vient-il, ce cadeau ? interrogea Alessandro, maniant toujours l'objet, le retournant, le secouant pour entendre si un cliquetis cachait autre chose à l'intérieur mais ne l'ouvrant pas encore.

– Je ne sais, mon père. Les armoiries que vous caressez là, sur le couvercle, semblent provenir de la famille des Médicis. Giovan Giorgio, ajouta-t-elle en se tournant vers son mari le plus innocemment qu'elle put, as-tu rendu quelque service à Ferdinando pour qu'il t'envoie un tel présent ?

Cesarini obliqua la tête vers sa femme, quittant la contemplation des nuances mordorées des cuirs, et haussa les épaules pour manifester son ignorance, se gardant bien de prendre position.

– Peut-être est-ce alors une erreur ? osa Clélia, devenue livide.

Son père, faussement naïf, poursuivit l'interrogatoire.

– Une erreur ? Pourquoi pas... Vous devez avoir raison, ma fille. Mais attendez – il se pencha vers le coffre –, je vois quelque chose roulé dans la serrure, on dirait un billet. Je ne pense pas que la noble dame à qui le présent est probablement destiné vous en voudra de l'avoir ouvert... Nous lui dirons que c'était simple méprise. Il me semble que le petit cardinal est en relation avec la marquise de Santa Croce en ce moment, n'est-ce pas, Giovan Giorgio ?

– Je crois bien l'avoir lu dans un *avviso* cette semaine, Votre Altesse, répondit Cesarini, ne sachant plus dans quelle direction Alessandro allait tirer ses flèches.

– Lisons, reprit le cardinal en déroulant le papier élégamment coincé dans la serrure.

Clélia retint son souffle, espérant que Ferdinando serait malgré tout resté discret.

– « À toi, qui seule as la clef. »

Alessandro regarda Clélia et feignit l'air d'un enquêteur dépassé, malhabile et crédule.

Clélia connaissait son père. Elle attendait qu'il sorte sa

botte secrète, celle qu'il avait en main depuis le début de cette conversation. Elle serrait à s'en faire saigner la paume cette clef que Médicis lui avait remise quelques heures plus tôt dans leur nid d'amour de la colline du Pincio. Puisse le fer des crochets lui donner la force d'affronter la colère de son père qui n'allait pas tarder à exploser !

Pourtant, celui-ci gardait son air calme et candide.

– « À toi, qui seule as la clef », répétait-il pensivement.

Puis, brusquement, il posa le coffret sur un buffet en noyer décoré d'angelots et de luths ; celui-ci produisit un bruit sourd.

– Bien, dit-il d'un ton pressé, nous n'en saurons pas plus aujourd'hui puisque nous ne pouvons déchiffrer ce code. Une feuille et de l'encre ! tonna-t-il en s'installant à l'écritoire de son gendre.

Il s'assit, réfléchit, se releva et se dirigea vers Giovan Giorgio.

– Ne serait-il pas mieux que vous lui écriviez vous-même, cher Giovan Giorgio, pour lui demander de cesser de confondre votre épouse avec l'une de ses putains d'un soir ?

La brusquerie de son propos fit sursauter Cesarini.

– Bien sûr, Votre Altesse Sérénissime, se contenta-t-il de répondre, lançant un regard furieux à Clélia qui continuait à triturer sa clef cachée dans les bouffants de sa robe.

Et il écrivit, sous la dictée de son beau-père, une lettre outrageusement déférente. L'instant d'après, le coffre fut renvoyé. Alessandro reprit la parole, bonhomme après la tempête :

– Il me semble, ma chère fille, qu'à l'avenir vous comprendrez ce que signifie le mot « déshonneur », et que vous n'irez plus faire l'affront à votre mari de devoir réitérer le procédé que nous venons d'appliquer.

Riant, sans que quiconque pût dire si c'était franchement, il ajouta que le gonfalonier du peuple romain ici présent avait probablement d'autres tâches plus utiles à l'État que celle de se faire le secrétaire de Médicis, préposé à la réexpédition de ses colis galants.

– Si vous vous conduisez mieux, mon adorable indocile, c'est moi qui vous ferai parvenir des présents, et ils auront une autre allure que ceux du Florentin, croyez-m'en ! Réfléchissez, Cesarini, je ne peux trouver toutes les réponses à votre place ni accourir chaque fois que la situation devient inextricable. Enfin, soupira-t-il, nous pouvons dire que nous avons échappé au pire aujourd'hui... Nous nous sommes tous fourvoyés.

Clélia n'arrivait pas à savoir si son père croyait vraiment ce qu'il disait, mais elle percevait qu'il valait mieux se conformer à sa version des faits.

– Il n'y manquera pas, lui répondit-elle en s'approchant d'Alessandro pour lui montrer, en baisant sa main, la reconnaissance que lui inspirait sa clémence.

Huit jours plus tard, alors que les *avvisi* s'étaient déjà empressés de raconter l'affaire du coffret et de saluer avec ironie la sagesse du prélat, la duègne fut renvoyée, convaincue de complicité avec les *menanti*, l'hypothèse que Médicis eût osé colporter cette histoire ayant été écartée par Alessandro lui-même.

Clélia respira enfin, débarrassée de cette espionne malveillante. Pourtant, ni les menaces de son père, ni la peine qu'elle avait conscience de lui faire subir, ni la présence fantomatique du *menante* aux yeux noirs ne parvenaient à étouffer sa joie de retourner chez Ferdinando. Le remords que Clélia savait devoir éprouver ne vint pas.

Bien au contraire. Cette union au Pavillon des oiseaux l'avait métamorphosée. D'adolescente amoureuse de son mari, elle se mua en maîtresse avertie et, depuis qu'elle avait goûté à la volupté de l'adultère, elle chercha chaque jour à renouveler les plaisirs de la veille, acceptant tous les rendez-vous de son amant, subordonnée à ses souhaits, envoûtée par la passion qu'il lui manifestait. Pour préserver son honneur, elle avait consenti à ce que Médicis affiche une liaison avec la marquise de Santa Croce et, loin de les éloigner, ce pieux arrangement introduisit une jalousie d'apparat qui les attacha davantage l'un à l'autre dans un désir toujours plus puissant et moins discret. Le Pavillon des oiseaux ne suffit plus à leurs ardeurs que la prise de risques enflammait mieux. Le carrosse aux rideaux ouverts de Médicis fut le théâtre de leur première transgression, mais bientôt, les palais de leurs amis, le petit *casino* d'Alessandro du mont Palatin, les ruines de Caracalla à la nuit tombée, Rome enfin tout entière leur offrit un terrain de jeu illimité pour assouvir leurs caprices.

Quoique attaché à laisser sa femme libre de ses actions, Cesarini, dont le nombre de maîtresses n'était plus à compter, tenta de trouver un artifice qui la ramenât à la raison. En bon mari et bon père, il écrivit une lettre à Alessandro Farnèse, lui demandant humblement de bien vouloir faire revenir Giuliano à Rome quelques semaines pour lui permettre de poser avec sa mère dans un tableau. Le Grand Cardinal se rendit de bonne grâce à la sollicitation de son gendre : le jeune Giuliano arriverait la semaine suivante à Rome et il y resterait jusqu'au début de l'été.

Le stratagème porta ses fruits. Le retour de Giuliano au Largo di Torre Argentina fit diversion et interrompit pour un temps les rendez-vous de Clélia et de Ferdinando. Giovan Giorgio et sa femme accueillirent leur fils de sept ans en parents unis et heureux. Les premiers jours ne furent que fêtes et transports aimants prodigués à cet enfant désormais gras et en pleine santé.

La maison s'en trouva transformée, car Giuliano avait plusieurs passions : la nourriture, les insectes, sur lesquels il pratiquait des actes de torture réguliers et discrets, prenant un malin plaisir à laisser traîner pattes et ailes démembrés dans la couche de sa gouvernante, qui ne manquait jamais de le ravir par ses cris d'orfraie, cherchant dans tous les recoins de la pièce la source de ce massacre sans jamais soupçonner le petit Giuliano, apparemment si tendre avec elle. Sa troisième passion était donc la farce, et les séances de pose avec Zucchi s'en ressentirent : le peintre devait régulièrement recommencer ses mélanges de couleurs parce qu'une main invisible ajoutait, selon les jours, œufs, huile, poussière et même, une fois, déjection animale. L'atelier empesta et le tableau n'avançait pas.

Clélia devait y apparaître vêtue de rouge, accompagnée de ses deux enfants, le joufflu et replet Giuliano et sa grande sœur, qui n'avait vécu que neuf jours mais qui avait toute sa place à la droite de sa mère et qui tenait sur la toile un bouquet, des ailes d'ange ornant son dos et une tiare de fleurs reposant sur sa petite tête ronde.

Ce fut l'époque bénie pendant laquelle Giovan Giorgio, accompagné de son fils, retrouva son énergie de collectionneur et dénicha, lors de fouilles qu'il avait commanditées en dehors de Rome, les bustes de seize philosophes d'une rareté inestimable. Les jardins du palais Cesarini se parèrent ainsi de sagesse antique, parsemés qu'ils devinrent de pensées diffuses d'Épictète, d'Aristote ou encore de Platon. Giuliano les contournait en riant, dérangeant le travail des sculpteurs toujours à l'œuvre dans des *studiolo* du jardin pour restaurer des statues ou en copier d'autres, déplaçant leurs instruments ou versant de l'eau sur leurs modèles en plâtre alors que ceux-ci n'avaient pas encore fini de sécher.

Tout inquiet que fût Alessandro de laisser Giuliano, sa seule descendance, aux mains de ces deux écervelés, il perçut ce que sa présence apportait de sérénité à sa fille et à son joueur de gendre qui, plutôt que d'aller à la taverne, faisait de cet enfant un partenaire privilégié de trictrac et de dames.

Pourtant, dans cette ville de Rome transgressive et sanglante, Clélia peinait à trouver un équilibre, vivant dans l'attente, de son fils ou de son amant, incapable de prendre parti pour aucun, chacun lui apparaissant comme l'antithèse de l'autre.

12

Avviso, 8 juillet 1579

La nouvelle qui court dans Rome, selon laquelle la signora Clélia Farnèse aurait, par jalousie pour son mari Giovan Giorgio, tué ou rossé la belle Barbara, est non seulement étrangère à la vérité, mais absolument fausse.

Lorsqu'ils découvrirent l'*avviso*, Alessandro Farnèse, au palais de la Chancellerie, le froissa froidement et fit demander son carrosse ; Clélia, qui, au Largo di Torre Argentina, épluchait ses livres de comptes et écrivait une lettre de change à un commerçant qui venait de lui livrer des gants, reposa la tête sur le dossier en cuir chamoisé de son siège, désarmée et impuissante ; Giovan Giorgio, en visite chez Ferdinando de Médicis, s'étouffa avec un sablé, on dut l'aliter ; cependant que le petit Giuliano, inconscient des rumeurs, arpentait les couloirs vides du palais, croyant que c'était son tour d'être l'objet d'une farce et cherchant une réplique ; quant aux domestiques, ils étaient réunis à l'office pour commenter la nouvelle de la disparition de « la belle Barbara », la servante d'une taverne voisine où le maître avait ses habitudes.

Cette rhétorique sournoise, cet usage infamant de la prétérition… Clélia en reconnaissait le style, elle ne l'avait que trop lu depuis son arrivée à Rome, c'était la signature du *menante* de l'auberge. Mais cette fois-ci, elle n'était pas coupable. Elle tentait de se remémorer ces derniers jours passés en compagnie de son fils, de son mari et ne voyait pas l'ombre d'une Barbara dans ce tableau. Qui était-elle, cette fille au nom barbare, cette étrangère, parasite borborygmique qui brisait l'harmonie péniblement atteinte chez les Cesarini ?

Giovan Giorgio, remis de son malaise, regagnait le palais du Largo di Torre Argentina lorsqu'il croisa le Grand Cardinal qui donnait ses ordres pour que les malles de Giuliano fussent faites immédiatement et que Clélia fût reconduite au plus tôt chez sa tante Vittoria à Urbino. Giovan Giorgio considéra son beau-père un instant, reculant de quelques pas pour mieux analyser le visage de son interlocuteur et déceler le degré de fermeté que contenaient ses ordres. Et pour la première fois de sa vie, même s'il se savait pris en faute, même s'il avait le vague souvenir d'avoir rencontré plusieurs fois une Barbara qu'il avait trouvée belle dans une taverne alentour, même s'il était partiellement responsable de l'ignoble rumeur lancée par le *menante* astucieux, Giovan Giorgio s'opposa aux directives du redoutable Alessandro Farnèse.

Il interrompit le chargement des coffres destinés aux voyages de sa femme et de son fils et monta l'escalier d'honneur, suivi d'Alessandro, partagé entre la stupéfaction et la fureur.

La camériste de Clélia voulut les retenir au salon, sa maîtresse se préparait pour les recevoir. Mais le Grand Cardinal la poussa sans ménagement et ouvrit la porte de la chambre de sa fille qui se coiffait d'un geste lent et minutieux, avec une régularité qui lui permettait de contenir sa colère.

Sans attendre qu'Alessandro prît la parole, elle nia avec véhémence les rumeurs calomnieuses et reprocha à mots couverts à son père de n'avoir pas agi plus tôt contre cet abject *menante* qui avait déjà nui à la réputation de leur famille et recommençait aujourd'hui. Son père resta sourd à ses protestations d'innocence. Le mal était fait. Il fallait désormais contrer la fronde, éviter le risque de procès public. Le pape ferait preuve de clémence si, en contrepartie de ce supposé crime, on lui promettait un enfermement, ou du moins un exil de six mois hors de la cité vaticane.

– La question n'est pas celle de la vérité, répétait Alessandro impassible, mais de l'attitude à adopter contre ces mensonges.

Cesarini envenima la dispute en intervenant :

– Ma femme restera près de moi et, tant que je vivrai, elle ne me quittera pas. Je suis l'unique détenteur de l'autorité sur ma famille et c'est à moi de régler ce conflit, d'autant que mon nom est aussi souillé que le vôtre dans cette sombre affaire.

Clélia sembla vouloir l'interrompre mais un geste impérieux de son mari la retint, et elle se tut, en attente d'un verdict qu'elle ne maîtrisait pas. Il se tourna vers sa femme l'air confiant, posa la main sur son épaule et ajouta :

– J'accepte néanmoins que Giuliano rentre à Caprarola à vos côtés pour lui éviter d'être pris à partie dans un scandale aussi ridicule que dangereux pour nous tous. Quant aux représailles contre ce *menante* aux yeux sombres, je m'en chargerai. En tant que gonfalonier du peuple romain, j'ai, tout comme vous, des appuis et des patriciens prêts à me rendre service.

Alessandro leva un sourcil plein de morgue et consentit à regret. Son autorité n'était pas suffisante pour lutter contre celle d'un mari soudainement combatif et conscient de ses responsabilités.

– J'attendrai Giuliano dans deux jours.

Le Grand Cardinal prononça ces mots d'un ton froid et sortit, sans un regard pour sa fille qui continuait à lisser machinalement ses cheveux blonds.

Lorsqu'il fut parti, un silence s'établit. Giovan Giorgio, surpris lui-même de son audace, attendait l'approbation de sa femme, tournant et retournant un petit peigne en bois d'ébène marqueté d'ivoire. Lasse, Clélia prit la parole :

– Était-ce l'une de tes maîtresses ?

Giovan Giorgio continuait à toucher les objets présents sur la coiffeuse, une parure de perles, une broche à motif mythologique, des épingles dorées… Il se jeta brusquement aux pieds de Clélia dans des protestations d'amour aussi sincères que vaines. Clélia était blessée et répéta sa question avec fermeté, se dégageant de l'étreinte de son mari. Il s'écarta d'elle et confirma, protestant que si cette fille avait été rossée ou tuée, cela n'avait rien à voir avec lui, ou quiconque dans cette maison.

– Permets-moi d'en douter…, répondit Clélia, accablée maintenant. La jalousie produit plus de crimes que l'intérêt, ou même que l'ambition… L'attaque est intelligente. Il est si facile de croire au crime passionnel.

Cesarini tenta de saisir la main de Clélia qui la lui dérobait.

– Je ne crois nullement, comme tu le fais, que quelqu'un nous en veuille. J'étais seul, ce soir-là, à la taverne. La friponne m'a fait de l'œil, j'ai cédé, sans me douter qu'elle m'était probablement envoyée par son brigand d'amant qui entendait me détrousser pendant que je serais occupé avec elle. Voyant que mes poches étaient vides, il aura dû la rosser, ou peut-être même la tuer après mon départ, pour avoir choisi un si mauvais pigeon. Après mon affaire accomplie, je me suis fait chasser de l'auberge et suis rentré, bien misérable, au palais, n'ayant qu'une hâte, trouver dans tes bras le réconfort qui me manque chaque jour…

– N'en rajoute pas, Giovan Giorgio. La liste de tes maîtresses, ne serait-ce que dans ce palais, s'allonge de mois en mois.

Cesarini allait se justifier. Clélia ne lui en laissa pas le temps.

– Ce n'est pas un reproche que je te fais, mon mari. Ta galanterie et ton incapacité à résister au moindre plaisir ne m'embarrassent guère. Elles m'arrangent même parfois. Et c'est ce qui participe aussi de ton charme et de la force de notre union. Je suis intimement persuadée, à la façon dont tu me couves du regard lorsque nous sommes ensemble, que ces femmes ne reçoivent pas le quart de l'attention que tu m'accordes, ni de l'admiration que tu me portes, Giovan Giorgio.

– Sans toi, je ne suis rien.

Et il ne pouvait être plus sincère. Sans Clélia, il ne serait qu'un banal serviteur de l'État, un homme sans mesure ni qualité.

Un domestique entra, annonçant Costanza Sforza. Clélia se leva précipitamment et courut presque à sa rencontre. Son amie lui promit que tout allait s'arranger. Elle avait déjà parlé de l'affaire avec son mari, qui avait obtenu une audience de son père, le pape Grégoire XIII. La rumeur n'irait pas plus loin. La Barbara en question avait été découverte à l'aube par les soldats du Vatican, le visage tuméfié, incapable de se mouvoir tant ses côtes la faisaient souffrir. On l'avait prise et jetée en prison le temps que le scandale s'éteigne de lui-même, faute de preuves. Et on la reconduirait aux frontières du Latium ensuite. Rome n'avait nul besoin de fournir des vivres plus longtemps à cette prostituée qui attirait des ennuis à ses chers amis.

Horrifiée par le sort réservé à cette pauvre femme, Clélia ne commenta pas la sentence, mais remercia Costanza d'y avoir contribué. Giovan Giorgio, soulagé par ce dénouement qui les mettait tous deux hors de cause, interrompit leurs effusions de tendresse en leur proposant une promenade jusqu'aux jardins de la villa Médicis ; il fallait se changer les idées, sortir du palais, chasser ces fétides rumeurs de leurs esprits. À contrecœur, Clélia s'habilla d'une tenue de brocart vert émeraude comme l'espoir, et les rejoignit au salon.

Le long du chemin, Costanza laissa les rideaux de son carrosse grands ouverts pour que les *menanti* et autres patriciens puissent les observer et être ainsi convaincus du soutien que la belle-fille du pape assurait au couple Cesarini. Elle bavarda beaucoup, s'employant en amie à effacer la vilenie de l'*avviso* et à l'ensevelir sous des remarques propres à faire sourire ses compagnons, se plaignant de l'état déplorable des routes en dehors du Champ de Mars, ne comprenant pas comment leur ami Médicis avait pu choisir de s'exiler ainsi sur les hauteurs de Rome.

Leur hôte les conduisit dès leur arrivée au Pavillon des oiseaux, enfin terminé. Clélia ressentit une joie étrange à contempler les fresques de Zucchi en compagnie de son amie Costanza, et surtout de son mari, qui, sans se douter de rien – ou feignant la naïveté –, admirait la voûte, recouverte d'une pergola où voletaient une multitude d'oiseaux exotiques. Giovan Giorgio était émerveillé : cette peinture chantait, elle prolongeait les émotions d'une promenade à travers champs, c'était le triomphe de Zeuxis sur Parrhasios, de la poésie sur le matérialisme.

Costanza connaissait bien sûr le mythe mais, en experte de la vanité des hommes, elle ouvrit de grands yeux et, mimant l'innocence, demanda à Giovan Giorgio de lui raconter à nouveau cette légende dont elle avait oublié la teneur mais qu'elle aimait tant. Cesarini, ravi d'être l'objet de l'attention générale, se lança :

– Deux peintres s'affrontent, commença-t-il. Zeuxis, le roi des volumes, Parrhasios, le génie des contours et des ombres. On les confronte lors d'un concours. Tout Athènes est présent pour désigner le vainqueur, celui qui saura, avec le plus de justesse, représenter la nature. Zeuxis dévoile son œuvre le premier : une grappe de raisin, si juteuse et si semblable à celles que Dieu met à notre disposition que des oiseaux volant par ces cieux s'arrêtent pour picorer la peinture. L'assemblée athénienne applaudit à grand renfort de vivats et de bravos. Parrhasios attend, l'œil narquois, félicitant et acclamant lui aussi le grand peintre. Il désigne son œuvre et suggère à Zeuxis de la dévoiler lui-même. S'exécutant, Zeuxis réalise que le tableau n'est autre que la tenture qu'il essaie vainement d'écarter. L'assemblée retient son souffle, peinant à comprendre de quoi il s'agit. Lorsqu'elle saisit enfin, ce n'est pas un éclair, mais un tonnerre d'applaudissements pour l'immense imitateur de la nature qui se tient sous leurs yeux. Zeuxis admet sa défaite : si son œuvre a trompé les oiseaux, celle de Parrhasios l'a leurré lui-même.

Les convives applaudirent Cesarini à la fin de son récit, celui-ci les remercia d'une légère révérence où le plaisir pointait derrière l'affectation d'ironie.

– Pour apporter une conclusion à ta belle histoire et retourner au matérialisme de Pyrrhanios, rit Ferdinando en écorchant le nom du peintre, allons déjeuner !

Tandis que le quatuor s'installait à l'ombre des arbres, un repas leur fut servi sur des nattes posées dans l'herbe et Ferdinando raconta à Costanza, avec plus de verve encore qu'il ne l'avait fait pour Clélia, que Valerius Asiaticus, le premier propriétaire de la villa, s'y était donné la mort à cet endroit précis. Chacun ironisa sur ce destin tragique et le nom de la pauvre Barbara quitta tous les esprits, alors qu'il résonnait encore dans le cœur de Clélia. Elle ne quittait pas des yeux ce Pavillon des oiseaux au loin, dans les allées en contrebas où elle se revoyait avec Ferdinando. Que lui serait-il arrivé si, au lieu d'être décriée aujourd'hui pour avoir rossé la belle Barbara, elle avait été accusée d'adultère, si elle avait été aperçue en ces lieux, seule, avec Ferdinando ? Elle se convainquait qu'elle jetterait enfin cette clef délétère, et pourtant, en voyant rire son mari aux éclats avec celui qui était son amant, pas plus soucieux de sa débâcle que de la pince de crabe qu'il suçait bruyamment, elle regrettait ce moment suspendu et délicat.

Lorsqu'ils revinrent au palais, une missive d'Alessandro les attendait, réclamant le départ de Giuliano le soir même. Les adieux de Clélia à son fils furent déchirants, quoique celui-ci ne semblât pas se rendre compte de la situation. Élevé par Alessandro depuis son plus jeune âge, cet arrangement lui semblait naturel et c'est chez lui qu'il repartait à Caprarola, auprès de son grand-père qui l'attendait dans le carrosse et à qui, après avoir baisé les joues de ses parents, il montra fièrement le coléoptère qu'il venait de ramasser dans le cortile et qu'il s'amuserait à dépecer pendant le voyage.

Après ce départ, Clélia perdit du poids, les os de ses clavicules devinrent visibles. Son mari fit venir un médecin, qui lui prescrivit du repos, des fruits en abondance et la somma surtout de se retirer du monde et de ses tentations. Pourtant, la fureur de vivre qui s'était emparée de Clélia depuis qu'elle avait reçu cette clef de Médicis semblait ne jamais pouvoir s'épancher. Plus la mélancolie la gagnait et plus elle recherchait la présence de Ferdinando. Plus elle assouvissait ses désirs et plus la mélancolie la gagnait.

Son père, qui s'était lui-même beaucoup étourdi de plaisirs dans sa jeunesse, tenta avec amour de la ramener à la raison. Il lui envoya des présents, lui fit porter des bouquets, l'invita à le rejoindre partout où il se rendait pour célébrer une messe ou exercer sa charité. Quoique Clélia se prêtât de bonne grâce à ces pieuses occupations et malgré la culpabilité qu'elle éprouvait devant cette bienveillance paternelle, rien ne parvenait à l'empêcher de se rendre aux orgies médicéennes le soir venu.

Dans une ville où les pontifes rigoristes n'avaient pas

réussi à discipliner le carnaval, elle se reprit à participer à toutes les fêtes, aux spectacles théâtraux donnés par les patriciens, aux banquets, aux tournois, joutes et chasses qui rythmaient la vie des palais et des villas palatines, où cardinaux et nobles se réunissaient, imperméables aux recommandations du concile de Trente, attendant de chaque nuit le renouvellement infini de plaisirs interdits sans prendre conscience qu'ainsi, ils amorçaient leur chute.

13

Avviso, mercredi 8 août 1579

[…] Hier soir, M. Latino Orsini a offert un somptueux dîner dans une barque de style vénitien à ses invités, Giacomo Boncompagni, sa femme Costanza Sforza, M. Giovan Giorgio Cesarini, sa rayonnante épouse Clélia Farnèse, le cardinal Ferdinando de Médicis et d'autres dames et messieurs, au nombre de seize en tout.

Ils se sont acheminés jusqu'au ponte Molle et se sont mis à table, dînant sur la rivière, en compagnie d'autres bateaux sur lesquels différentes sortes de musique étaient jouées et des feux artificiels lancés. On dit que M. Latino a dépensé plus de six cents scudi, *uniquement pour le dîner.*

Le duc de Mantoue est arrivé à Rome hier soir […].

Clélia, Giovan Giorgio, Ferdinando, Constanza et Giacomo étaient au cœur des rumeurs et commérages romains ; flamboyants, irresponsables et heureux. Les *avvisi* pleuvaient, les poèmes et les madrigaux vantant les beautés de Clélia se récitaient dans les dîners, et même les *pasquinate*, ces libelles satiriques glissés dans la bouche d'une statue située sur la piazza Navona, surnommée statue de Pasquin et utilisée par le peuple romain depuis un siècle pour dénoncer les errements de la gouvernance papale, prenaient désormais pour cible les jeunes gens, indice de leur notoriété hors des cercles restreints de la noblesse romaine, seule destinatrice des *avvisi*.

Leur vie n'avait plus de sens et leurs dettes s'accumulaient, si bien qu'un matin, Clélia vit se bousculer dans le cortile du palais Cesarini une demi-douzaine de porcs, en même temps que maître Bondo, le boucher, accompagné du charcutier, maître Giovanni, et du fromager, maître Cristoforo apportant quatre jambons, trois têtes fromagées et quatre quartiers de lard. Si les commerçants étaient venus en personne livrer la nourriture commandée par les maîtres, c'était qu'ils comptaient bien être enfin payés. Tant que leurs notes ne seraient pas réglées, ils refusaient de quitter les lieux.

Un formidable embouteillage commença à se former dans la cour, gagnant même la rue. Maître Bondo ne maîtrisait plus ses porcs. Les pauvres bêtes, épouvantées par les altercations des domestiques, grognaient et grouinaient comme si on les menait à l'abattoir. Suffoqué par l'odeur pestilentielle des déjections que chaque animal déversait dans sa terreur, le chambellan finit par entrer au palais chercher ses maîtres.

Clélia observait la scène depuis la croisée du deuxième étage, effarée. Cesarini sortit en fureur, les cheveux en bataille, une robe de chambre en soie pourpre simplement jetée sur ses épaules alors qu'au même moment, Alessandro Farnèse, qui ne manquait pas d'informateurs dans le palais de sa fille et qu'on avait fait prévenir, se frayait un passage dans le chaos.

Maître Bondo, le boucher, se prosterna aux pieds du Grand Cardinal, lui demandant pardon du scandale qu'il provoquait et le remerciant des bontés que Sa Seigneurie prodiguait depuis tant d'années à sa famille. Toujours prosterné, il expliqua que le seigneur Cesarini ne payait plus ses quittances depuis deux ans, qu'il connaissait l'avis du pape concernant les mauvais payeurs et que, si ses bêtes ne lui étaient pas réglées aujourd'hui, il irait en référer au Vatican pour obtenir justice.

Cesarini, resserrant les pans de sa robe de chambre, avait beau évaluer le spectacle d'un œil morne, il attendait la sentence de son beau-père avec plus d'angoisse qu'il ne voulait laisser paraître. Alessandro Farnèse, sans un mot, entra dans le palais, demanda au secrétaire de lui apporter papier et encre et signa une lettre de change à chacun des artisans, six mille livres pour le boucher, cent cinquante *scudi* pour le charcutier, deux mille six cents *scudi* à l'intention du fromager, somme qui dépassait largement ses propres dépenses liées à son statut de Grand Cardinal. Il accomplit cette action sans un regard pour son gendre qui, ainsi bafoué dans sa propre maison, était remonté dans ses appartements.

Les porcs purent ainsi être conduits dans les communs ; les garçons d'écurie se chargèrent de nettoyer le cortile, jonchant de paille les souillures. Ce manège prit un certain temps, durant lequel Farnèse resta stoïque, en habit de cardinal, trônant au milieu de la débâcle financière de son gendre et de sa fille.

Lorsque la cour fut désertée de ses animaux et commerçants, Clélia y apparut, dans une robe de mousseline opale à faire chavirer le cœur du plus redoutable de ses ennemis. Son père resta de marbre. Elle se confondit en remerciements, qu'il accepta avec un dédain non masqué. Il prétexta qu'il était simplement venu lui donner des nouvelles de son fils Giuliano mais, qu'au vu de leur train de vie qui ne changeait manifestement pas, les progrès de son fils en mathématiques ou en rhétorique ne l'intéresseraient probablement pas davantage.

Clélia accepta les reproches sans essayer de se justifier. Son père avait raison. Il fallait résoudre la question des dettes abyssales que son mari contractait partout dans la ville. Il ne veillait à aucune dépense, sans pour autant administrer leurs biens fonciers et, si la situation demeurait ainsi, ils perdraient tout. Les Cesarini n'étaient pourtant pas les seuls à se conduire ainsi : la majeure partie des baronnies romaines était criblée de dettes. Les Colonna, les Carafa, les Farnèse même, ne vivaient qu'à crédit et

Clélia se demandait comment l'économie romaine pouvait se maintenir avec de tels déficits.

Elle avait tenté d'en discuter avec Giacomo Boncompagni, le fils du pape et mari de Costanza, lui exposant sa conviction : il fallait organiser un emprunt à grande échelle, que le peuple romain financerait en en acquérant des parts. Il lui avait ri au nez. De quoi se mêlait cette mondaine ? On ne lui demandait pas autre chose que d'enrichir les fêtes romaines de sa présence et de nourrir *avvisi* et *pasquinate*. Elle, comme les autres beautés de la noblesse, servait à assurer la difficile coexistence à Rome de la vertu et du divertissement, de l'amour divin et des réjouissances humaines, dont les cardinaux étaient, eux aussi, les premiers représentants. Ferdinando ne partageait-il d'ailleurs pas son temps entre sermons, messes et spectacles ?

Le jeudi saint au matin, quelques semaines après l'affaire des cochons, l'un des auteurs de *pasquinate* filant la métaphore porcine pour inventer toutes sortes de jeux de mots autour des relations liant Clélia à Médicis, ou Cesarini à ses maîtresses, fut excommunié par le pape.

Sur la place Saint-Pierre, les Romains, grandes familles en tête, étaient assemblés lorsqu'un chanoine déclama à haute voix une litanie d'excommunications. Les huguenots vinrent d'abord, puis les auteurs de textes répréhensibles, les brigands et les bandits occupés à semer la terreur sur les terres pontificales, et enfin, le satiriste.

Selon la tradition, le pape jeta une torche allumée vers la foule, les cardinaux Farnèse et Carafa en firent autant, de sorte que ces trois torches tombèrent au sol, non loin de Clélia qui assistait avec son mari et Costanza à la scène. C'était le moment tant attendu par la foule qui, dans un désordre insensé, se précipita pour s'emparer d'un morceau de ces torches. On se battit, on s'écorcha, sortant poings et bâtons dans un déchaînement de violence propre à illustrer l'enfer qui attendait les condamnés dans l'au-delà. Le peuple préférait bien sûr les exécutions publiques, plus sanglantes, mais les Romains se pressaient tout de même nombreux à ces séances, espérant ainsi expier par procuration la somme de leurs péchés et recevoir un peu de la grâce divine et papale, deuxième temps de ce spectacle savamment orchestré.

Sur ces entrefaites, Ferdinando de Médicis détacha la tenture noire qui pendait sur les balustres du portique de Saint-Pierre, et un autre tissu de velours, pourpre celui-là, apparut devant le pape, qui multiplia alors ses bénédictions publiques. Des prêtres allaient et venaient en bénissant chacun, les mains gantées de rouge. Une foi aveugle se lisait dans les prunelles exorbitées, les génuflexions des assistants, les vivats qu'ils poussaient, et le contraste entre la splendeur des costumes ecclésiastiques et la misère environnante semblait encore accentuer la ferveur des uns et le détachement des autres. Alessandro Farnèse, de son côté, refusa de boire le calice présenté à lui par Médicis, redoutant que celui-ci ne l'ait empoisonné.

Une *pasquinate* ridiculisa dès le lendemain les peurs du Grand Cardinal : « La terreur du calice des instances cardinalices, ou les chamailleries de la Chancellerie. Mais qu'ont-ils à se reprocher ? On ne se le demande plus. »

14

La course aux antiques se poursuivait ; à Rome, le nombre de statues était si grand que cette population fictive n'était pas moindre que la population réelle. Les Chinois de la dynastie Qin enterraient une armée de soldats de terre cuite, les Romains de la Renaissance extrayaient un régiment de dieux et de déesses de marbre. Les Vénus fleurissaient, les Hercules terrassaient hydres et lions, les Aphrodites régnaient sur la mer et les Apollons sur la musique et sur les cieux. Rome n'était qu'une fête, et l'Église une apothéose.

Les attaques s'aggravèrent entre Médicis et Alessandro Farnèse dont la mésentente, envenimée par leurs relations privilégiées avec Clélia, se mettait en scène par l'intermédiaire d'achat d'œuvres d'art ou de villas. À l'acquisition par Ferdinando de la villa Médicis répondit celle, par Alessandro, de la villa Farnesina située face au palais Farnèse, sur l'autre rive du Tibre dans le quartier populeux du Trastevere. Médicis en fit ses choux gras, plaignant le Grand Cardinal de ne pouvoir s'offrir un palais via Giulia et lui rendant ainsi la monnaie de sa pièce. Furieux, Farnèse entreprit de construire un pont reliant les deux rives de ses palais, ce que Grégoire XIII refusa, indigné par cette volonté de s'accaparer une part de Rome. Les *pasquinate* ne désignèrent plus Farnèse que comme « l'équilibriste », qu'ils figuraient dans des dessins grossiers, enjambant le fleuve et y déféquant des angelots à l'agonie.

Lorsque Médicis fit reproduire à petite échelle la statue du colossal Hercule Farnèse, le Grand Cardinal ne prit pas même la peine de répliquer, et se contenta d'en rire. D'un rire qui s'entendit jusqu'au pont Sisto si l'on en croit les *avvisi* rédigés après l'affaire.

En revanche, lorsque Ferdinando réussit, malgré les manœuvres farnésiennes, à acquérir la statue du Rémouleur, chef-d'œuvre antique, la rage du Grand Cardinal inonda Rome mais se dilua dans les méandres du Tibre ; le petit cardinal avait lui aussi des appuis.

Enfin, lorsque Médicis fit installer dans sa loggia deux vasques en granit venu d'Égypte destinées à servir de fontaine, Farnèse fit rouvrir pour lui seul les fouilles des thermes de Caracalla.

Cette guerre des antiques semblait ne jamais prendre fin. L'un répliquait à l'autre, l'autre surenchérissait et, si Rome y gagnait en chefs-d'œuvre, Clélia en était la victime indirecte, déchirée entre les trois hommes de sa vie. Car Cesarini n'était pas en reste et osait désormais lui aussi affronter publiquement son beau-père pour tenter d'imprimer sa marque dans la cité romaine. Inspiré par son ami Ferdinando, qui ne lui prodiguait aucun conseil sans arrière-pensées, Giovan Giorgio envenima leurs relations en commandant à Jean de Bologne, protégé du grand-duc de Toscane, une statue qui aurait les traits de Clélia et qu'on nommerait la Vénus Cesarini.

Un bloc de marbre de Carrare fut ainsi acheminé un matin dans la cour du palais Cesarini, tiré sur une charrette par quinze hommes que le sculpteur avait recrutés pour l'aider à tailler sa Vénus.

Épouvantée par la fureur paternelle qu'allait susciter cet affront mais trop heureuse de la présence de Médicis à ses côtés, Clélia posa longuement pour Jean de Bologne. Cesarini lui avait suggéré de créer une Vénus sortant du bain, parée de fleurs dans les cheveux, semblable ainsi au premier portrait qu'il avait commandé d'elle à Jacopo Zucchi lorsqu'elle avait treize ans. Il demandait cette fois-ci plus de torsades encore ; il la voyait en Méduse apprivoisée, capable de pétrifier n'importe lequel de ses admirateurs. Il voulait d'ailleurs que son visage apparût de biais, afin que le spectateur eût à s'agenouiller pour observer ses traits après avoir admiré la courbe de son corps, la rondeur de ses hanches, la douceur de sa taille et la beauté de sa nuque.

Ferdinando et Giovan Giorgio l'accompagnaient dans ces séances, la distrayant de leurs conversations, comme jadis, retrouvant la complicité qui les liait alors. Aujourd'hui, Clélia avait vingt-trois ans, Cesarini et Médicis en avaient trente. Ils osaient des pensées qu'ils ne se seraient pas permis de suggérer hier et le Grand Cardinal ne leur inspirait plus la crainte d'alors, malgré la majesté effrayante et si naturelle à son caractère ; ces séances de pose, auxquelles Médicis adjoignait son peintre Jacopo Zucchi pour réserver, disait-il, une surprise à Clélia, se transformaient souvent en conjuration contre Alessandro Farnèse, Médicis ne cessant de démontrer au couple Cesarini l'influence que celui-ci maintenait sur leur vie.

Cherchant une humiliation à infliger à son rival le Grand Cardinal, Ferdinando en vint à suggérer à Clélia et à Cesarini de rappeler leur fils à Rome. Il insufflait son fiel, faisant valoir à Clélia ses attributs de mère, qu'on lui ôtait sans procès. Les lettres qu'elle envoyait régulièrement à Caprarola étaient probablement jetées au feu avant même de parvenir à leur destinataire, assurait Ferdinando qui ne reculait devant aucune calomnie pour la convaincre, entre deux baisers furtifs à l'abri d'une colonne, dans le cortile du palais.

Cesarini lui-même, si étourdi, commençait à s'apercevoir du manège de son ami mais, soit que cela lui fût indifférent, soit que la mauvaise conscience des nombreux adultères dont il se rendait coupable l'empêchât d'éprouver du ressentiment contre Clélia ou Médicis, soit encore qu'une jalousie perverse le menât à apprécier la cour que son ami faisait à sa femme, le plus souvent en sa présence ; tout cela faisait que Médicis poussait toujours plus loin ses avances.

Les époux finirent par se convaincre d'exiger du Grand Cardinal le retour de leur fils, arguant qu'il fallait dès à présent songer à ses fiançailles et que sa présence à Rome semblait chaque jour plus nécessaire. À force de lettres aimantes dans lesquelles elle représentait à son père les changements que la présence de Giuliano promettait de provoquer dans ses mœurs dissolues et insistant sur ce que la réunion de leurs trois générations à Rome, dans des palais si proches les uns des autres, pourrait produire de bénéfique, Clélia réussit à obtenir de son père le retour de Giuliano à Rome à l'automne.

Lorsque les séances de pose furent terminées, le trio ne cessa pas pour autant de se réunir autour de Jean de Bologne, admirant l'habileté du maître.

Tout à son ouvrage, le sculpteur taillait férocement ce marbre si brillant pour en faire naître un coude, un genou replié dont la courbure même était une œuvre d'art. Alors que Clélia apparaissait sous la dure surface du marbre, à coups de burin d'abord, puis râpée au rifloir, des noms de fiancées possibles pour leur fils Giuliano surgissaient. Celui de la fille d'Isabella de Médicis, la sœur défunte de Ferdinando, recueillait tous les suffrages et plaisait beaucoup à Cesarini qui trouverait ainsi en Médicis un protecteur aussi bien qu'un ami.

La jambe de Clélia se dessinait sous les mains du sculpteur tandis que les clauses du contrat s'affinaient. Le mariage serait célébré dans cinq ans, au palais ducal de

Florence, Ferdinando bénirait les époux ; ce tableau semblait idyllique aux deux hommes qui s'approchaient de la statue pour caresser les courbures si suavement révélées par Jean de Bologne. Clélia, la vraie, installée dans un fauteuil en osier, une orangeade à la main, considérait le spectacle de son mari et de son amant caressant sa peau nue de marbre et scellant leur amitié par le mariage de leurs familles. Elle se demandait parfois si Cesarini n'y prenait pas du plaisir. Elle s'inquiétait de la réaction explosive de son père lorsqu'il apprendrait l'alliance projetée. Si Giovan Giorgio imposait cela à Alessandro, ce serait une déclaration de guerre, une mutinerie. Clélia savait qu'un Farnèse ne laisserait pas pareille alliance se produire.

Le jour où la Vénus Cesarini fut terminée, Jean de Bologne remercié et la statue installée dans les jardins de San Pietro in Vincoli, adjacents au palais Cesarini du Largo di Torre Argentina, Médicis invita le couple à le rejoindre dans sa villa. Il avait lui aussi une surprise à leur dévoiler : le résultat du travail de Jacopo Zucchi, qui était venu s'associer au sculpteur lors des séances de pose de Clélia.

Lorsqu'ils arrivèrent à la villa, Ferdinando était extatique : ses lions Médicis, enfin terminés, encadraient l'arc central de leur supériorité tranquille, surmontés par les armes du cardinal. Ils prenaient ainsi une valeur héraldique, répétant, avec la sphère qu'ils tenaient sous leur patte avant, les armes de la famille.

Quittant la loggia, Clélia, Cesarini et Ferdinando passèrent la porte surmontée d'un buste colossal de Jupiter et pénétrèrent dans le grand salon, au centre du palais, où les attendait la fameuse surprise du cardinal. Écrasé par tant de splendeurs, Giovan Giorgio regardait son ami d'un air admirateur et légèrement envieux, à quoi Médicis répondit par un clin d'œil et un sourire. Deux toiles de moyenne taille, posées sur des chevalets, étaient recouvertes d'un drap noir.

Grand seigneur, Ferdinando s'approcha de la première sur la gauche, ses visiteurs le suivirent, n'y tenant plus de curiosité. Une main sur la lourde pièce de taffetas, Ferdinando les prévint :

– J'ai demandé à notre cher Zucchi de la fraîcheur, de l'exotisme, en substance, de la beauté. Et nous sommes convenus de retravailler le mythe d'Amphitrite et de Poséidon, entourés de Néréides, dans un décor de paradis marin.

Il allait découvrir le tableau, ses doigts pinçaient le tissu et semblaient le tirer vers le bas, mais il arrêta son geste :

– Clélia est à l'honneur, bien sûr, rayonnante Clélia.

Celle-ci eut un mouvement de recul inquiet, tandis que Cesarini sourit béatement, flatté des égards dont Médicis faisait preuve envers sa femme.

– Un ultime détail, dit alors Ferdinando, vous allez voir deux versions du même tableau. Je songe à offrir la première à Bianca Cappello, la toute nouvelle épouse de mon frère, pour l'inciter à intervenir en faveur de notre Giuliano dans son mariage avec ma nièce.

À cet adjectif possessif qu'il utilisa, « notre Giuliano », Clélia recula encore d'un pas tandis que son mari se rapprochait au contraire de son ami, comme aimanté par ses paroles. Elle attendait que le cardinal enlevât le voile, craignant le pire. Qu'avait-il encore inventé pour l'attacher à lui ?

D'un geste brusque, Médicis fit glisser le taffetas et Clélia n'en crut pas ses yeux. Au milieu d'un somptueux décor marin, assise sur un rocher, elle trônait, nue, simplement parée d'un voile transparent et d'un diadème royal. Cesarini applaudit, radieux. Il contemplait le tableau, regardait sa femme, retournait de nouveau au tableau et s'exclamait, frappé de la ressemblance parfaite entre la reine des Néréides et son épouse. Il voulait dans l'instant féliciter Zucchi.

Clélia de son côté s'approcha de la toile et, tremblante, découvrit qu'elle n'avait pas seulement prêté son visage à la déesse Amphitrite, mais aussi aux six nymphes qui l'accompagnaient. Hypnotisée, elle ne pouvait détourner le regard. Des détails lui apparaissaient petit à petit : les armoiries des Farnèse, incarnées par le lys céleste, peintes au centre du seul morceau de tissu qu'elle portait, placé entre les cuisses de la figure centrale ; la lascivité de chacune des nymphes, lui ressemblant toutes, tenant l'une un corail, l'autre un coquillage, une troisième entassant perles et coquilles tout contre sa poitrine dénudée, une autre encore se recoiffant avec un regard sensuel vers le spectateur, bras relevés et poitrine offerte…

Giovan Giorgio, tout à son admiration, ne faisait aucune remarque. Clélia en osa une, questionnant Médicis sur la présence de l'Africain, de dos, derrière elle.

– Cela, répondit Ferdinando en se rapprochant d'elle et en posant familièrement les mains sur ses épaules, c'est la touche exotique qui séduira Bianca. Elle raffole de ces nouveaux esclaves arrivés à Florence grâce aux Portugais. Remarquez-vous qu'il y en a un autre, ici, debout sur ce rocher, qui tient un arc et des flèches avec l'air de se demander comment s'en servir ?

Il rit doucement. Clélia acquiesça, dubitative.

– Le contraste entre le bleu de la mer, reprit-il, effleurant la toile avec extase, la peau foncée de cet esclave, ses cheveux bouclés, sa nudité, la robustesse de son dos, copié par Zucchi sur le torse du Belvédère… tout cela me donne des frissons d'exotisme et de passion bestiale.

Tandis que Cesarini étudiait la toile, buvant les paroles de son ami, Médicis descendait les mains des épaules à la taille de Clélia, lui effleurant les seins. Malgré l'érotisme offensant de la toile, et grâce peut-être à l'apparente indifférence de Cesarini, à son admiration même qui ne semblait pas faiblir, Clélia ne put s'empêcher de sentir son corps parcouru d'un frisson. Cette caresse, devant une toile dont elle était l'unique modèle multiplié à l'infini, lui donnait une sensation de sérénité joyeuse. Si ce cardinal osait, au vu et au su de tous, déclarer au monde l'amour si puissant qui le liait à sa personne et qu'aucune sanction ne le frappait, que pouvait-il lui arriver, à elle ? Qui se risquerait à l'attaquer, alors qu'elle devenait la maîtresse officielle d'un Médicis, issu d'une lignée dont chacun connaissait les procédés, à travers les siècles, pour réduire leurs contradicteurs au silence ? Son père lui-même hésiterait sûrement avant de s'y aventurer. Du moins l'espérait-elle... De toute façon, cette toile était destinée à orner la galerie des Offices, et non à rester à Rome. Elle se persuadait ainsi que cette sensuelle *Pêche au corail* ne lui faisait courir aucun danger.

S'éloignant d'elle après une légère pression sur l'épaule, Médicis se rapprocha de nouveau des chevalets. Il n'avait découvert qu'une seule des deux toiles présentes dans le grand salon. Cesarini se dirigea lui aussi vers le second tableau et tendit une main décidée pour en ôter le tissu, mais Ferdinando le retint, lui murmurant :

– Patience... celle-ci est pour moi seul.

Et, faisant reculer Cesarini pour lui permettre d'apprécier la toile dans toute sa portée symbolique, il ajouta :

– Ceci, mon ami...

Sans achever sa phrase, il découvrit le tableau d'un geste sec.

En apparence, c'était exactement le même. Au premier plan, des nymphes marines sosies de Clélia, à moitié nues, formaient un demi-cercle autour de la même majestueuse Amphitrite coiffée de la même couronne, tenant de la main droite le même corail et de la main gauche, levée, le même coquillage. Un singe paré de perles et deux *putti* les accompagnaient toujours. Pourquoi donc Ferdinando souriait-il malicieusement ?

Les Cesarini s'approchèrent, passant d'une toile à l'autre lorsque soudain Clélia s'écarta, ne retenant pas un cri de surprise horrifié, portant sa main à la bouche. Au-dessus de la figure centrale, l'Africain avait été remplacé par un homme, menton plein, petite moustache descendante, cheveux bouclés ; moins gras qu'il ne l'était dans la réalité, c'était Ferdinando. En personne. Présidant à cette récolte du corail. Cesarini observait toujours les tableaux, n'ayant pas encore remarqué la présence de son ami. Il interrogea sa femme du regard. Sans prononcer un mot, les yeux emplis de stupeur, elle désigna du doigt la figure centrale de l'Apollon que Cesarini examina quelques secondes avant de se tourner vers Ferdinando, qui attendait toujours, content de son effet. Giovan Giorgio éclata alors d'un bon rire franc qui déchira le cœur de Clélia. Elle eut la sensation de se briser en mille morceaux. Elle aurait préféré s'évanouir. Hélas, son corps était plus fort que son esprit et résistait, tandis que son mari s'approchait de Médicis et lui donnait l'accolade, comme pour le féliciter d'une excellente farce.

Ils s'étaient tous deux rapprochés du tableau et Giovan Giorgio admirait la ressemblance entre les traits du chasseur et ceux de son modèle. Ils riaient tous deux en prenant la pose, sérieuse et conquérante. Clélia se dirigea vers un siège, sidérée. Les larmes aux yeux tant il riait, Giovan Giorgio demanda à Médicis :

– Et cette toile, à qui comptes-tu l'offrir, mon ami ? Au Grand Cardinal ?

Il repartit d'un éclat de rire que Ferdinando calma d'un ton sobre :

– Non, celle-ci, je te l'ai dit, je la garde pour moi seul.

– Tu vas donc exposer ma femme dans ta chambre, coquin ?

Alors que Cesarini l'interrogeait ainsi, lui taquinant l'épaule de son poing, son ton était moins assuré qu'il n'y paraissait.

– Non, bien sûr. Avec ton accord, et je ne doute pas de l'obtenir, déclara Médicis, tapotant la nuque de Cesarini, en monarque régnant sur un sujet dont il connaît l'obéissance forcée, je vais l'installer dans ce premier appartement, là, à côté de la copie de mon Hercule Farnèse… Ainsi, toute la petite famille sera réunie, s'exclama-t-il d'un ton qui devenait mauvais.

Giovan Giorgio répondit par un sourire contraint.

– Mon ami, reprit Ferdinando, tu ne m'en veux pas ? J'aime tellement ta femme, et je t'aime tellement, toi, que je ne peux me passer de vous. Et tu sais, tu as ta place aussi dans ce tableau…

Il lui montra un des éphèbes à l'arrière-plan, nu et musclé, mais ridiculement petit par rapport aux personnages centraux.

– Ici, indiqua-t-il, rayonnant de malice.

Cesarini s'approcha, prit la pose, louchant avec entrain sur les deux naïades avec lesquelles il discutait picturalement, et donna une grande tape dans le dos de Médicis.

– À la vie, mon ami, à l'art, à l'amour et à la beauté !

Et Giovan Giorgio l'entraîna dans le jardin sans plus se soucier des suites et des rumeurs que cette toile ferait immanquablement naître.

Les deux hommes, bras dessus bras dessous, se retournèrent vers Clélia, toujours assise, comme pétrifiée, et Ferdinando la réveilla d'un « Venez-vous ? » qui n'autorisait pas de refus. Défaite, elle se leva et les rejoignit, imaginant déjà les prélats, les nobles romains, les ambassadeurs se délecter de sa nudité réfléchie dans l'ensemble du tableau, la bouche pleine d'encornets, de sirop, d'œufs confits, de figues ou de poires, roter à son visage, postillonner sur ses seins, la souiller de leurs complots, de leurs cabales et de leurs serments.

15

Cela ne manqua pas. Trois jours plus tard, sur la piazza Navona, la statue de Pasquin vomissait ces mots infâmants :

Il Medico cavalca la mula Farnese.

« Le médecin chevauche la mule Farnèse. » L'allusion, à cause de la proximité phonique entre Medico et Medici, ne pouvait être plus claire et la formule enchanta les Romains, qui la répétèrent à l'envi pendant des semaines, tant et si bien que les *avvisi* la reprirent, alors qu'il n'était pas d'usage que les *pasquinate*, toujours outrancières, soient pour eux une source d'information.

Clélia ne put plus quitter l'enceinte de son palais, reconnue qu'elle était partout dans la rue, par les passants même parfois qui avaient pu se procurer de grossières reproductions des deux figures centrales du tableau de la *Pêche au corail* de Zucchi. Cesarini aussi traversait une situation délicate, devenu le cocu le plus célèbre de Rome en ce mois de juin. Son carrosse était hué, le peuple le prenait à partie. En tant que gonfalonier, il les représentait. S'il était trompé, c'était tout Rome qui se retrouvait, en un instant, cocufié par les Médicis, c'est-à-dire par Florence.

Le Grand Cardinal ne pouvait non plus laisser son nom entaché de la sorte. La mule Farnèse, sa fille, chevauchée par ce satané Médicis, houspillée dans les rues, ridiculisée sur le Campo dei Fiori comme à la Chancellerie, il lui fallait agir.

Mais le petit cardinal de Médicis était malin et démentait, où qu'il se trouvât, ces rumeurs aberrantes. Feignant d'en être la victime, il hurlait contre les *menanti*, soudoyait le pape pour renforcer les peines prononcées contre eux, tout en étant, Alessandro en était certain, leur premier informateur. Dans chaque dîner, il lançait le sujet, prétextant défendre son honneur et celui des Farnèse, s'assurant par ce biais que ceux qui, par hasard, n'étaient pas encore au courant de la rumeur le fussent.

Giovan Giorgio fut sommé par son beau-père de cesser publiquement toute relation avec Ferdinando, ce qu'il refusa sèchement. Il poussa l'outrage jusqu'à lui affirmer qu'il préférait être le cocu de Médicis que de se faire chevaucher par une autre mule Farnèse. Et il rit, de ce rire heureux qui le caractérisait, qui semblait en une note évacuer tout ce qui pouvait être pris au sérieux dans la vie.

Le Grand Cardinal n'y tint plus et lui lança un soufflet auquel Giovan Giorgio ne répondit pas, se contentant de se retourner vers un domestique et de lui demander une serviette chaude, pour apaiser la rougeur de sa joue. Alessandro lui rappela alors ses obligations, la dot de trente mille écus qu'il avait fournie à Clélia en contrepartie de ce mariage qu'il qualifiait maintenant d'obscène et qu'il ne manquerait pas de faire annuler par le pape s'il le jugeait nécessaire, au vu de la gestion calamiteuse avec laquelle Cesarini entretenait ses biens. Il ferait alors enfermer Clélia dans un couvent et l'affaire serait réglée.

L'autre rit encore, et lui proposa de lui présenter ses comptes :

– Je n'ai plus de dettes nulle part et n'ai aucun besoin de sermon. Quant à annuler mon mariage, il n'en est pas question. J'aime votre fille, Sérénissime, et elle restera à mes côtés jusqu'à ma mort et au-delà. Vous n'y pourrez rien changer. Vous avez renoncé à vos droits sur elle en m'accordant sa main et ne pouvez l'enfermer dans aucun couvent sans ma permission à moi, son mari. Quant à mon fils, je vous remercie de ce que vous avez fait pour lui, mais je me chargerai désormais de son avenir et de son éducation.

– Comment diable avez-vous pu, en quelques mois, passer du statut de mendiant à celui de grand seigneur ? Dois-je vous rappeler que j'ai dû personnellement procéder au règlement de vos dettes ?

Cesarini refusa de répondre, répétant seulement que lui aussi avait désormais des appuis et que ceux de la famille Farnèse, s'ils étaient appréciables, et même souvent prisés, ne lui étaient plus indispensables.

– Je puis aussi me permettre des libertés dont je goûte aujourd'hui le plaisir, comme celui par exemple de me rendre à la cour de Toscane accompagné de mon épouse et de mon fils, sans avoir à obtenir l'autorisation de quiconque.

Alessandro prit sa cape et lui lança avant de quitter le palais :

– Vous regretterez votre outrecuidance. Il n'y a que les hommes forts et courageux qui puissent agir de la sorte et, sauf votre respect, illustre gonfalonier du peuple romain, le terme de galantin vous caractérise mieux. Je vous souhaite une bien belle vie, à vous, à votre misérable progéniture qui, soit dit en passant, vaut encore moins que vous, et à mon exécrable fille, qui n'ose pas même se montrer aujourd'hui devant moi, c'est dire la force d'âme de votre famille. *Ave Caesar*, élevez bien votre Brutus.

Cesarini, une coupe de vin d'Anguillara à la main, salua le Grand Cardinal sans répondre à ses malédictions.

Clélia eut beau envoyer lettres attentionnées, présents sucrés et remords sincères à son père, celui-ci resta muet. Ils se croisèrent dans le monde sans paraître même se connaître et les *avvisi* tentèrent sans relâche de percer le mystère de la relation qui unissait le trio Cesarini-Médicis, qu'on appelait désormais « les Inséparables ».

16

Clélia et Giovan Giorgio partirent pour Florence avec Giuliano dans le carrosse de Ferdinando. Au sortir de leur palais, les yeux noirs du *menante* croisèrent ceux de Clélia. Elle le désigna à son mari, qui sortit une dague de son ceinturon et sauta du carrosse, prêt à se débarrasser de lui. Clélia, toute à l'espoir de voir enfin ce *menante* réduit au silence, ne perçut pas le regard amusé de Ferdinando. La via Appia était tellement encombrée de passants et de vendeurs ambulants que le *menante* s'échappa facilement. Cesarini perça avec violence le sac de grain d'un marchand qui n'osa protester face à ce baron furieux, puis retourna dans le carrosse, pestant contre ce personnage qui allait, par les informations qu'il ne manquerait pas de débusquer, quitte à les inventer, faire échouer les fiançailles de son fils.

Ferdinando ne bougea pas, pas plus qu'il ne partagea l'indignation de ses amis. Il n'y voyait qu'une perte de temps. S'il s'agissait toujours du même *menante*, et si celui-ci avait bien un commanditaire unique, une fois qu'on aurait réussi à le mettre aux fers, il en sortirait cent autres pour le remplacer.

– Le Diable est protéiforme, contrairement à Dieu, ajouta-t-il du ton docte d'un pieux cardinal.

Sa démonstration, pour convaincante qu'elle fût, laissa un goût amer à Clélia, accompagné d'un vague soupçon qu'elle chassa vite pour se mêler aux gais babillages de ses compagnons, confortablement installés dans le carrosse de Ferdinando qui contenait toute une cuisine pour les ravitailler régulièrement et même, nouveauté dans Rome, un four à pain.

Tout en goûtant un fromage de brebis aux figues qu'elle jugea exquis, Clélia interrogeait Ferdinando sur sa nièce Eleonora. Elle était bien jeune quand sa mère avait été assassinée, c'était du moins ce que les *avvisi* racontaient. Ferdinando éclata de rire.

– Vous luttez chaque jour contre ces chiens de *menanti*, et pour me parler de ma famille, c'est à leurs racontars que vous vous rapportez !

Il s'installa au fond de la banquette et se tourna vers le petit Giuliano, qui se goinfrait de sucreries sans qu'on ne lui dît rien. Sa corpulence était déjà très massive pour un enfant si jeune, mais Clélia comme Giovan Giorgio refusaient de le priver. Ils laissaient donc leur fils mélanger raisins secs, nougats, miel, abricots confits et tout ce qu'il pouvait trouver dans le panier à provisions mis à disposition par la cuisinière qui, elle, lui donnait parfois une tape sur la main lorsqu'il en prenait trop, à quoi Giuliano rétorquait par un grognement sourd.

Se tournant donc vers son futur neveu, comme aimait à le répéter Ferdinando, il se proposa de lui raconter l'histoire de sa famille, en ne se fondant que sur les rumeurs, et en retraçant uniquement celles liées à sa génération, sinon le trajet de Rome à la Toscane n'y suffirait pas…

– Le veux-tu ? lui demanda-t-il les yeux pleins de bonté.

Giuliano acquiesça la bouche pleine, faisant trembler son menton déjà gras, et Ferdinando se lança, roulant maintenant des yeux pour attirer l'attention de son jeune interlocuteur.

– Toi, tu es fils unique, c'est bien cela ?

Giuliano répondit timidement que oui, impressionné par le changement de ton du cardinal, et aussi par le fait qu'un adulte prenne la peine de lui adresser la parole.

– Moi, je suis issu d'une fratrie de neuf enfants. Mon père, Cosimo Ier, duc de Florence et grand-duc de Toscane, eut cinq fils et quatre filles. De ces neuf enfants, seuls quatre sont encore en vie : moi, mes deux frères Francesco et Pietro, et notre sœur, Virginia. Si l'on écoute les chroniques, tous les autres sont morts… assassinés.

Ferdinando laissa un long silence avant de reprendre. Giuliano ne le quittait pas des yeux tandis que Clélia se demandait s'il ne serait pas plus raisonnable de lui boucher les oreilles, tant les histoires que le cardinal allait lui raconter étaient lamentables.

– Procédons par ordre, reprit-il, et je te rappelle que tu

n'entendras ici que la version des médisants et des gazetiers. La nôtre, nous la gardons secrète et préférons nous faire craindre en laissant perdurer ces mythes. Tu comprendras quand tu entreras dans la famille.

» Maria, d'abord, paix à son âme, fiancée au duc de Ferrare, fut assassinée à l'âge de dix-sept ans, avant que le mariage puisse avoir lieu. Poignardée. Par notre père Cosimo, qui l'aurait surprise au lit avec un de ses pages, Malatesta de Malatesti, jeté, lui, en prison. Fut prétextée une forte fièvre qui aurait tué ma pauvre sœur et les médecins confirmèrent. Méfie-toi toujours des médecins, ajouta-t-il en regardant Giuliano, qui ne put réprimer un gros rire, à l'échelle de la taille de son gosier, repensant à la *pasquinate* concernant sa mère chevauchée par un médecin, qu'il n'avait comprise qu'à demi, mais qui avait eu l'air d'amuser les cuisiniers du palais.

– Maintenant, dit Ferdinando, passons à Lucrezia, qui avait quatre ans lorsque je naquis. Elle hérita du fiancé de notre sœur défunte, Maria, et devint duchesse de Ferrare à l'âge de treize ans, avec une dot énorme de deux cent mille *scudi*, soit la moitié de ce qu'a coûté à mon père la construction de la galerie des Offices que tu vas bientôt découvrir. Elle était en tout l'opposé de Maria, qui était capable de remplacer nos tuteurs pour nous donner des leçons de grec. Lucrezia, au contraire, savait à peine rédiger une lettre lorsqu'elle prit époux.

Ferdinando donna une gentille pichenette à Giuliano, qui sourit goulûment. Cet homme maniait l'art du récit à la perfection, alternant douceur et brutalité, et il était excellent conteur, à la fois détaché et captivant.

– Lucrezia mourut trois ans plus tard, alors qu'elle venait de fêter ses seize ans, assassinée par son mari jaloux.

Ferdinando se recula sur son siège en s'y adossant et commenta :

– Il faut toujours prendre garde à la jalousie des époux, qui se transforme parfois en fureur…

Après une œillade à Giovan Giorgio qui ne sembla pas même comprendre l'allusion, Médicis poursuivit :

– Passons maintenant à mes frères. La légende est, encore une fois, superbe ; biblique même, tu vas voir, mon petit Giuliano.

Ce dernier s'était penché en avant, tout ouïe et battant des mains, tandis que Clélia restait abaourdie de l'attrait que Ferdinando exerçait sur son fils en lui racontant ces histoires scabreuses.

– Alors que j'avais treize ans, mon frère Giovanni en avait dix-neuf, et mon autre frère, Garzia, quinze. Le premier, déjà cardinal, était le favori de notre père, qui le voyait succéder à un autre Giovanni de Médicis, notre aïeul le pape Léon X. Le deuxième, Garzia, était le bien-aimé de notre mère. La rivalité née de ces préférences les avait toujours éloignés.

» Un jour, ils partirent tous les deux à la chasse dans les Marennes, au bord de la mer Tyrrhénienne, dans notre belle Toscane. On raconte qu'une dispute éclata en pleine chasse, à propos d'un chevreuil que Garzia jurait avoir tué alors que Giovanni prétendait le contraire.

» Garzia sortit son couteau de chasse et, feignant de s'approcher de la bête, fondit sur Giovanni qu'il blessa à la cuisse. Ce dernier s'effondra de douleur et appela au secours. Il expira dans les bras de mon père cinq jours après sa déplorable blessure.

Clélia, qui connaissait la suite, plissait la bouche de douleur et scrutait son fils avec appréhension alors que ce dernier attendait la fin du récit avec impatience, le considérant non pas comme une histoire réelle, mais comme un conte, de ceux que sa nourrice lui racontait enfant à Caprarola, plus sanglant cependant... Lorsque Ferdinando reprit, Cesarini ne semblait plus écouter et regardait distraitement par la fenêtre du carrosse.

– Dans la salle du trône, mon frère Garzia se jeta aux genoux de notre père, lui demandant pardon de son crime. Cosimo Ier, un masque d'impassibilité sur le visage, se leva du fauteuil surélevé sur lequel il était assis, descendit les trois marches de l'estrade, s'approcha de Garzia, tira un poignard de son pourpoint et frappa son fils. « Je ne tolérerai aucun Caïn dans ma famille », se contenta-t-il de dire, et il laissa tomber son arme, qui résonna sur le marbre. Se relevant de sa blessure, tenant à peine debout, Garzia, le préféré de notre mère, trouva encore la force de l'appeler avant de s'effondrer sur le sol, mort. Notre mère mourut de faim huit jours plus tard.

Cette fois-ci, Giuliano fondit en larmes. Ferdinando

lui-même était ému. Cela faisait presque vingt ans maintenant que ce fratricide avait eu lieu, mais ces trois morts successives l'avaient terrassé, alors qu'il avait treize ans et entrait dans l'âge adulte.

D'un commun accord, le trio reporta la fin du récit des assassinats à plus tard, et la cuisinière leur servit un déjeuner sur le bord du lac d'Alviano, un délice que partagèrent les convives en discutant de la stratégie à adopter envers la Vénitienne Bianca Cappello, devenue l'épouse du frère de Ferdinando.

La difficulté résiderait plutôt dans l'ascendance de Giuliano, qui n'était pas parfaitement pure, annonça Ferdinando tout en inspectant l'opale qui sertissait sa bague afin de vérifier que la nourriture ne contenait aucun poison. Il se rapprochait de sa ville natale et connaissait les pratiques toscanes pour éliminer les indésirables. C'était la première fois qu'il émettait cette réserve, après les avoir convaincus que l'accord de son frère et de sa belle-sœur ne serait qu'une formalité. Cesarini haussa un sourcil dubitatif, tout en arrachant la chair de la cuisse de perdreau que venait de lui tendre la cuisinière.

– Qu'y a-t-il de mal dans la filiation de Giuliano ? L'alliance des Cesarini et des Farnèse ne vous convient-elle plus ?

– Si elle était pure…, répondit Médicis en feignant de prononcer ces paroles avec le plus de tact possible. Mais je ne vous apprends guère que Clélia n'est que légitimée, et non pas légitime. Et Bianca tient, presque plus que nous tous, à la gloire de la famille des Médicis.

– Et ce serait cette putain vénitienne qui se permettrait de juger de la régularité de la famille de mon fils ? Vous allez trop loin, mon ami, lui dit Cesarini. S'il en est ainsi, nous rebrousserons chemin.

– Ce n'est pas cela…, répondit le cardinal d'un ton à la fois mielleux et ferme, mais vous n'allez tout de même pas prétendre que vous êtes empereur…

Giovan Giorgio acquiesça en grognant.

– Bien, reprit Ferdinando, c'est tout ce que je voulais entendre. Vous n'êtes pas empereur, pas plus que je ne le suis. Or les Médicis désormais s'allient avec les Grands de la royauté. Je n'y puis rien, c'est ainsi. Et même si le mariage d'Eleonora n'est pas au centre des préoccupations du grand-duc, qui a plusieurs filles à marier, je sais que le sujet sera soulevé et qu'il faudra apporter une réponse. D'autant que nous ne pouvons plus compter sur le soutien du Grand Cardinal… Tout repose donc sur votre nom, Cesarini.

Celui-ci baissa la tête. Clélia resta silencieuse, se retenant d'accabler Médicis de reproches, lui qui était l'unique cause du gel de ses relations avec son père, ce dont elle souffrait malgré tout. Le sursaut d'honneur qui avait gagné son mari lors de ce débat sur la légitimité de sa naissance l'avait surprise, son retour à la soumission était plus familier. En accusant leur ascendance, Ferdinando devançait le refus qu'ils risquaient d'essuyer à Florence.

Or, Clélia en était tout à fait certaine, l'échec du projet de mariage de Giuliano aurait d'autres causes.

Ferdinando l'avait prise depuis longtemps pour conseillère dans ses relations avec son frère et Bianca. Clélia connaissait les moindres détails de leurs querelles intimes, et elle aurait été capable, si quiconque le lui avait demandé, d'en établir la chronologie, depuis le refus de Ferdinando d'assister au couronnement de Bianca dans la chapelle du palais Pitti à la fureur de Francesco Ier qui avait menacé de lui couper les vivres, jusqu'à la réconciliation des deux frères, scellée par un prêt de soixante mille *scudi* alloué par Francesco pour éponger les dettes de Ferdinando à Rome. Clélia ne se doutait pas que cette somme était aussi censée solder celles de son mari, ce qui expliquait pourtant la soudaine aisance du couple, l'assurance de Cesarini face à son beau-père et l'inféodation durable de Cesarini aux Médicis.

Les chevaux étant prêts, on put repartir. Clélia laissa Ferdinando et Cesarini qui devisaient toujours pour aller chercher Giuliano qui jouait avec sa nourrice au bord du lac à réussir des ricochets. En les observant de dos tous les deux, sous le soleil rayonnant de septembre, elle se prit à rêver d'une vie plus simple, dans laquelle elle élèverait son fils à la campagne, loin de l'agitation romaine, des stratagèmes matrimoniaux, des *avvisi* et des méchantes rumeurs ; loin surtout des assassinats médicéens et de leurs conflits familiaux. Elle espéra même que ce mariage, qu'elle avait pourtant souhaité, ne se fît pas, évitant ainsi à son fils d'entrer dans une famille qui pouvait dénombrer cinq morts violentes en moins d'une génération… Si elle redoutait la fureur de son père lorsqu'ils reviendraient de ce voyage, elle ne craignait nullement sa dague, pas plus que celle de ses sbires, et en ressentait aujourd'hui un immense soulagement, doublé d'une reconnaissance dont elle prenait plus que jamais conscience. La brutalité n'appartenait pas à l'héritage des Farnèse, et cette alliance contre nature avec les Médicis l'effrayait. Qu'arriverait-il à Giuliano si celui-ci, par malchance, venait à donner un fils à Eleonora à un moment de crise de succession ? Le tuerait-on pour cela ? Assassinerait-on sa femme, son enfant ? Les chevaux hennissaient, le cocher sifflait, il fallait repartir.

De retour dans le carrosse, Giuliano applaudit à la proposition de Ferdinando de dévoiler la fin des légendes entourant la famille de Médicis. La compagnie s'assoupissait, la cruauté du récit les réveilla.

– Les deux dernières histoires sont récentes et remontent au mois de juillet 1576. Quoique sans aucun lien entre eux, ces terribles événements se sont succédé et seraient tous deux le fait d'épouses infidèles, car rappelle-toi, Giuliano, ce sont des rumeurs que je te raconte. La vérité, tu la connaîtras si jamais tu entres dans la famille.

Le garçonnet hocha la tête avidement en guise de réponse.

– Le 10 juillet 1576, il y a quatre ans de cela, mon frère

Pietro étrangla sa femme, alors qu'elle le trompait avec un jeune chevalier, qu'il fit assassiner le même jour. Elle avait vingt-trois ans. On lui organisa de belles funérailles dans notre basilique San Lorenzo à Florence, avec les honneurs qui lui étaient dus.

» Ma sœur Isabella n'eut pas cette chance, la pauvre, elle qui fut inhumée dans une tombe anonyme de la basilique… Son cas est plus complexe et il faut remonter à son adolescence pour l'entendre clairement. En as-tu le courage, Giuliano ?

Celui-ci s'était enfoncé dans son siège et ne bougeait plus, que ce soit à cause de cette nouvelle histoire ou du déjeuner au cours duquel il s'était gavé de tout ce que les adultes avaient bien voulu lui donner, riant gaiement de son appétit. Sa peau verdissait légèrement et il tentait de réfréner un mal de cœur qu'il n'osait admettre tant il avait envie de connaître la vie d'Isabella, mère d'Eleonora, peut-être sa future épouse.

Ferdinando reprit, parlant d'un ton doux :

– Nous l'aimions tous, notre petite Isabella. Je l'appelle petite malgré le fait qu'elle était de sept ans mon aînée, mais elle ressemblait à un oisillon devant être toujours protégé. Mon père l'adorait lui aussi, à tel point que des rumeurs naquirent et qu'il dut se résoudre à la marier. Il choisit un Orsini, hâbleur et brutal, Paolo Giordano, à condition que sa fille demeure en Toscane au moins six mois de l'année.

» Paolo Giordano accepta la clause du contrat, mais

laissa sa femme sous la surveillance de l'un de ses proches parents, Troïlo, qui l'assurait régulièrement par courrier de sa bonne conduite. Isabella mena pendant plus de quinze ans une vie de femme lettrée et indépendante, tenant salon et donnant chasses, admise chez son père comme lorsqu'elle était petite fille, admirée de tous. Quoiqu'il eût tout circonscrit de la vie de sa fille, mon père ne put prévoir sa propre mort, qui survint en l'année 1574. Dès ce jour et malgré le deuil que la cour porta pendant six mois tant le grand-duc était respecté, aimé et admiré de ses sujets, Isabella fut en danger.

» Survint alors le drame : un jour, Troïlo tua Lelio, un page de mon frère Francesco Ier – devenu grand-duc. Au cours de sa fuite, apparut la « vérité » : Troïlo et Lelio étaient tous deux les amants d'Isabella. Lorsque Paolo Giordano Orsini, le mari, apprit la trahison de sa femme, il rejoignit Florence et y arriva alors qu'Isabella s'apprêtait à fuir. Il dînèrent ensemble et Orsini parut le plus gai du monde. Il proposa même à Isabella de venir passer la nuit avec lui. Son air bonhomme l'incita à accepter. Les domestiques rapportèrent la suite puisque, selon eux, ils étaient encore présents dans la chambre quand le malheur arriva. Paolo Giordano accueillit gentiment sa femme, l'enlaça et l'étrangla dans le même geste, sans qu'elle ait même le temps de pousser un cri. Ainsi mourut ma merveilleuse sœur, le 16 juillet 1576.

Alors que Ferdinando retenait un sanglot, Giuliano, horrifié par tous ces meurtres et écœuré par son déjeuner, rendit tourtes et poireaux sur l'habit finement taillé du cardinal de Médicis. Ce voyage n'augurait rien de bon, pensa Clélia en respirant l'air frais par la fenêtre, attendant qu'un domestique vienne la sortir de ce satané carrosse à cuisine intégrée qui sentait le lard et l'oignon en plus de l'odeur fétide des aliments expulsés par son fils.

Au moins cet incident avait-il eu le mérite d'interrompre le récit de Ferdinando, qui ne reprit pas. Le reste du voyage s'acheva dans un silence précautionneux. Ils s'approchèrent de la villa di Pratolino, où Francesco et Bianca résidaient autant qu'ils le pouvaient, à l'abri des regards florentins. Clélia observait le paysage tandis que Ferdinando vantait avec ironie le faste baroque des lieux, sans aucune comparaison avec la galerie des Offices et le palais Pitti que ses visiteurs découvriraient le lendemain en allant rendre visite à la petite Eleonora qui y était restée depuis la mort de sa mère, se refusant à rejoindre à Rome son assassin de père.

Clélia, habituée à la somptuosité de Caprarola, jugea les lieux tout juste acceptables. Dans cette zone rude et escarpée, au pied des monts Apennins, l'architecte avait réussi à créer un grand parc de sapins ceignant le palais et l'avait empli de jets d'eau, de fontaines et d'automates créant, par les mouvements de l'eau, musique et harmonie. Des animaux artificiels y plongeaient la tête pour boire, ce qui constituait un spectacle amusant et surprenant.

Dès qu'ils eurent mis pied à terre, Ferdinando présenta Clélia, Giuliano et Cesarini à son frère le grand-duc, qu'ils trouvèrent occupé dans un *studiolo* de la cour à examiner des pierres orientales.

Cet homme lourd et gras, mais dont la contenance ne manquait pas de courtoisie, les reçut avec une amabilité non factice, heureux de rencontrer enfin la fameuse Clélia, dont le nom évoquait la joie et la beauté, ce que sa présence confirmait. Après quelques badineries et banalités d'usage, la grande-duchesse leur fit savoir qu'elle était prête à les recevoir dans le salon d'apparat. Les nouveaux venus s'y déplacèrent et patientèrent un long moment. Bianca avait pris cette habitude, espérant par là affirmer son rang et diminuer d'autant celui de ses visiteurs. Clélia n'en prit pas ombrage et attendit avec Cesarini et Médicis dans ce salon magnifiquement meublé de tables d'acajou, de fauteuils subtilement tapissés et de toiles aux références nautiques. Clélia redoutait le moment où Ferdinando présenterait sa *Pêche au corail* à sa belle-sœur. Sa représentation en courtisane romaine lui apparaissait ici, dans la villa d'une Vénitienne devenue Toscane par son amant, du plus mauvais goût. Connaissant l'esprit retors et parfois cruel de son ami, Clélia se demandait s'il n'avait pas organisé toute cette mascarade autour du mariage de Giuliano dans l'unique but d'offenser Bianca Cappello en lui offrant ce tableau… Peut-être n'avait-il pas même évoqué les fiançailles et étaient-ils tous les jouets de sa machination pour amuser tout le monde aux dépens de chacun…

Avant que le dîner ne fût servi, Ferdinando réunit Clélia, Giovan Giorgio, Francesco et la grande-duchesse dans la chambre qu'on lui avait allouée. Il renouvela le cérémonial auquel les Cesarini avaient eu droit : toile sur chevalet, drap noir, présentation succincte et suspense jusqu'à la révélation finale, Clélia, représentée neuf fois nue, exhibée devant l'Africain portant arc et flèches. La réaction des Toscans fut aussi soudaine que féroce. Après avoir porté un long regard sur l'œuvre de Zucchi, Bianca, une fois certaine que son beau-frère n'avait pas eu l'audace de donner à ces nymphes érotiques un seul de ses traits, éclata de rire, imitée par son mari, croyant à une farce. Pour Clélia, la honte se mêla à la colère. Elle aurait voulu lacérer cette toile ignoble, et pourtant magnifique. Elle se contenta de se dégager de la pression de la main que Ferdinando s'était permis de poser sur son épaule et de tourner les talons.

Le dîner fut protocolaire. Ferdinando continuait de tester tous les plats de son opale qui, était-il persuadé, changeait de couleur en présence de poison. Francesco énuméra distraitement les actions qu'il conduisait à Florence et les réticences qu'elles suscitaient tandis que Bianca demandait à Clélia l'origine des étoffes constituant sa robe. Plus le dîner avançait, moins la conversation semblait se tourner vers les fiançailles potentielles de Giuliano et d'Eleonora. Clélia regardait Ferdinando avec insistance pour que celui-ci prît la parole, lançât le sujet… mais il lui répondait d'un geste de la main en lui demandant patience.

Alors que Giuliano partait se coucher avec sa nourrice et saluait la compagnie, Francesco Ier s'exclama :

– Quel dommage qu'on ait promis Eleonora au jeune duc de Mantoue, sinon votre Giuliano aurait constitué un candidat idéal. Le filleul de mon frère avec notre nièce ! Ç'eût été parfait !

Les yeux de Clélia lancèrent des éclairs à Ferdinando qui feignit la surprise. De quel jeu de dupes étaient-ils les innocentes victimes ? Cesarini, comme à son habitude, ne prit pas pour lui l'offense. Il considéra l'histoire comme amusante et proposa à Clélia de l'emmener tout de même voir les merveilles de Florence avant de rentrer à Rome.

Clélia découvrit ainsi la basilique San Lorenzo où le marbre blanc s'alliait au noir pour créer une architecture unique et sublime dans sa sévérité. Sur le Ponte Vecchio, Cesarini lui offrit un diadème serti d'émeraudes et de diamants qu'elle porta le soir même au dîner, et que Bianca trouva du meilleur goût.

Ferdinando avait profité de leur absence pour raconter à sa belle-sœur la mystification qu'il venait de jouer à ses amis et celle-ci, après un moment de surprise, apprécia finalement la maestria dont il avait fait preuve dans son orchestration. Le cardinal réservait des surprises infinies, elle espérait simplement que le petit Giuliano ne serait pas trop fâché d'avoir perdu une fiancée.

– Quoique, ajouta-t-elle, il suffirait de les faire se rencontrer pour qu'il ne regrette plus rien.

Et elle rit gracieusement. Ferdinando partagea sa médisante gaieté ; les persiflages de sa belle-sœur étaient le trait de sa personnalité qu'il préférait.

Sur le chemin du retour, pour distraire Clélia, qui n'était pas tant déçue de cet échec qu'incertaine de l'avenir qu'elle voulait réserver à son fils, Ferdinando leur promit d'organiser, le mois suivant, une fête si grandiose que tous leurs chagrins et regrets s'estomperaient.

17

Réunis dans la chapelle d'une confrérie près du Tibre, les cardinaux Carafa, Médicis et Farnèse célébraient une messe en l'honneur des mendiants qui allaient être transférés dans l'ancien monastère de San Sisto. Une étrange procession se mit alors en route, précédée d'étendards, devant une foule massée les observant, qui en riant, qui en les acclamant. Venaient d'abord les mendiants libres de leurs mouvements, puis les aveugles que l'on guidait, et ensuite les estropiés, placés dans des charrettes. Suivaient en queue quatorze carrosses prêtés par nobles et prélats, remplis des miséreux trop malades pour être transportés autrement. Au total huit cent cinquante pauvres hères, hommes et femmes, furent enfermés dans le monastère et le pape se félicita d'avoir trouvé le moyen de dépeupler Rome de sa mendicité.

La soirée promise par Ferdinando eut lieu quelques jours plus tard. Posté sous le gigantesque blason de marbre portant les armes des Médicis, il accueillait ses invités. Lorsque Clélia et Cesarini arrivèrent, il leur présenta un petit homme chauve et souffreteux, habillé à la mode de la cour de France du temps de François Ier. Apprenant que Clélia était la fille du Grand Cardinal, l'homme ne tarit pas de compliments sur la sagesse et le bon goût de son père. Il revenait de Caprarola et vanta son architecture, cosmogonie rêvée d'un homme pour lequel les sciences n'ont pas de secrets.

Tandis que Cesarini s'échappait pour rejoindre une femme à crinoline dorée, le sieur de Montaigne, puisque c'était lui, heureux et fier d'accaparer l'arrière-petite-fille du pape Paul III, lui fit le récit de son voyage en Italie, à sauts et à gambades, dans un italien hésitant qui fit beaucoup rire Clélia. Avec une simplicité déconcertante, Montaigne parlait de lui, de ses maux de reins, de la pâte à nettoyer les dents qu'il avait découverte à Viterbe, tout près de Caprarola, et comme ses propos paraissaient amuser la jeune femme, lui qui ne se savait pas le talent, en France, de distraire les beautés de la cour, il poursuivit tandis que Clélia se penchait pour mieux entendre, alors que des musiciens commençaient à jouer dans la loggia :

– Ces eaux de Viterbe forment une écume très blanche qui se fixe aisément et produit une croûte dure sur l'eau. Vous n'avez jamais vu cela ? Pourtant tout l'endroit en est recouvert…

Clélia hochait la tête en ouvrant de grands yeux surpris.

– Cette écume, si on la mâche, possède des vertus nettoyantes pour les dents ; c'est purement et simplement extraordinaire !

En se promenant à petits pas dans le parc, le penseur lui décrivit ensuite la librairie du Vatican dont il revenait. Le philosophe littérateur savait donc lire aussi ! Cette bibliothèque s'offrait à tous, s'animait-il, sans nulle difficulté. Chacun la voit et en extrait ce qu'il veut. Il ne pouvait être plus étonné, n'ayant jamais vu chose semblable en France où la belle bibliothèque Sainte-Geneviève ne s'ouvre qu'aux savants et autres sorbonnards.

– Vous avez l'art, vous les Romains, de mettre les œuvres à portée de tous. Ainsi de vos statues et autres antiquités. Vous les installez en dehors de vos murs, sur les places et sur les voies, de sorte que vos palais se transforment en musées à ciel ouvert ! Si l'on ajoute à cette particularité le fait que tous les jours, vous marchez sur la tête de vieux murs que les intempéries découvrent au fil du temps, laissant apparaître un clocher, une tour, le hasard ayant conservé ces ruines en témoignage de la grandeur infinie des siècles qui vous ont vus naître, vous formez vraiment un peuple hors du commun. Quand je pense que ces résidus de l'âge antique ont résisté à tant de feux, tant de conjurations du monde et de ses éléments… c'est inimaginable !

Clélia compléta cet éloge de Rome en soulignant qu'il était extraordinaire d'avoir réussi à ranger un si grand nombre d'édifices au sein de ces sept petits monts, si rapprochés les uns des autres… Montaigne sourit malicieusement et la félicita d'avoir employé ce mot « ranger », parfaitement approprié, et qu'il réutiliserait pour les notes qu'il était en train de rédiger sur son voyage en Italie.

La voyant acquise à sa manière de tourner et retourner les idées pour en saisir l'essence, Montaigne ajouta que lorsque l'on regarde le temple de la Paix, le long du Forum romain, duquel on perçoit encore la chute comme si celle-ci s'était déroulée sous nos yeux, il nous semble aujourd'hui que deux bâtiments comme ceux-ci pourraient tenir à eux seuls toute la colline du Capitole.

– Et pourtant, compléta Clélia qui saisissait le raisonnement du penseur, vingt-cinq ou trente temples aussi superbement semblables y étaient accolés.

– Et sous les brisures de ces vieux édifices, vous, les inénarrables Romains, dans votre suprême arrogance mâtinée de respect, vous avez planté les fondations de vos nouveaux palais.

– Savez-vous que l'on raconte que, sous notre palais du Largo di Torre Argentina, qu'il faudra absolument que vous veniez voir, c'est l'assassinat de César par Brutus qui se déroula, il y a mille cinq cents ans…

L'arrivée de trois émissaires envoyés par Ivan le Terrible pour plaider la cause russe auprès du pape concernant la guerre que les Polonais leur livraient interrompit leur échange. Ils ressemblaient si fidèlement à l'image que Clélia s'en était faite qu'elle en resta interdite. Elle avait imaginé des hommes avec de grands nez, des sourcils en broussaille, de petits yeux sombres, le teint rougi par le froid et la barbe fournie : elle les avait devant elle.

Le chambellan de Médicis annonça le début des sonnets. Tout le monde se réunit dans un bosquet fleuri et la joute commença. Ferdinando, rayonnant dans son pourpoint doré de chasseur, lança le premier thème : « Si le secret en amour est un abus ». Les invités qui le souhaitaient vinrent alors tirer un petit papier d'une vasque d'albâtre qui leur indiquerait s'ils devaient ou non prendre le parti de cette proposition et l'assemblée se scinda ainsi en deux groupes : d'un côté, ceux qui soutiendraient que le secret en amour était bien un abus, alors que les autres allaient, le plus habilement possible, soutenir que l'abus était de croire que le secret en amour en était un. Cesarini régnait en maître dans ces débats et sa plaidoirie fut acclamée.

Un spectacle théâtral suivit, reprenant avec toute l'ambiguïté et le comique nécessaires les grands thèmes mythologiques de l'union de l'Amour et de Psyché, puis, dans le tableau suivant, dont le décor avait été peint par Zucchi, les comédiens représentèrent le triomphe de Bacchus et d'Ariane. Ils jouaient fabuleusement et l'assemblée se tordait de rire, sauf les trois Russes, qui restaient de marbre.

Ferdinando, toujours hâbleur, lança le dernier thème de la soirée : « L'amour réciproque était-il nécessaire pour que le triomphe de l'amant soit complet ? » Clélia perçut l'attaque et fondit corps et âme dans le débat, rappelant que chez les poètes comiques comme Aristophane, l'amour ne consistait que dans la jouissance et que, pour y accéder, tous les moyens étaient non seulement requis, mais encore recommandés à mesure qu'ils seraient plus hardis et plus plaisants. Ceci était tout le contraire de ce qu'on pouvait lire chez les poètes lyriques comme Tibulle ou Pétrarque, ajoutait-elle, où la noble spiritualisation des passions suffit à exalter le sentiment. Ceux-là allaient même jusqu'à chercher l'expression de l'amour dans l'idée antique de l'union primitive des âmes au sein de la divinité.

Après avoir exposé ces points de vue distincts, elle poursuivit, alors que le silence s'était fait autour d'elle :

– Chez nous autres, affirma-t-elle, l'amour réciproque ne comprend pas seulement la sensualité… – elle donna une pichenette à Ferdinando qui feignit d'en tomber de pâmoison –, la sensualité est somme toute très banale.

Elle appuya sur ce mot et releva Ferdinando en tournant gracieusement autour de lui.

– L'aveugle désir de l'homme vulgaire, continua-t-elle tandis que Médicis lui murmurait à l'oreille qu'elle ne perdait rien pour attendre, s'élève parfois à la passion la plus noble – Clélia leva les yeux au ciel, les bras repliés sur la poitrine, pour donner par cette posture plus de force encore à son propos –, parce que l'union de ces êtres, si constants dans leurs imperfections, touche au surnaturel.

L'assemblée marqua un temps de silence puis applaudit à tout rompre. Ferdinando, bravache, allait la relancer lorsque Montaigne lui coupa la parole et conclut, dans son plus bel italien, *perché era lui, perché ero io*, « parce que c'était lui, parce que c'était moi », présentant l'amour comme une liaison divine, unique entre deux esprits pour ne former qu'une seule âme. Ce fut l'extase.

Les ambassadeurs moscovites, qui s'étaient trouvé un truchement, restaient abasourdis devant la liberté de conduite des Romains. Cette femme, parlant si ouvertement, écoutée de tous, et même applaudie, sans que son mari en prenne ombrage… L'interprète leur expliqua qu'elle n'était autre que la fameuse Clélia Farnèse, la fille d'un cardinal, reconnue par celui-ci. Les Moscovites connaissaient les mœurs dissolues de ces peuples, ils savaient l'histoire du pape Innocent VIII, qui avait eu quatre enfants. Leur traducteur, amusé de leur écœurement face à ces licences, leur donna le coup de grâce en leur racontant que, comme partout en terres catholiques, le concubinage était interdit par l'Église aux laïcs comme aux clercs, sauf à Rome où les uns comme les autres pouvaient le pratiquer s'ils étaient prêts à payer une taxe, qui plus est assez modeste.

Les ambassadeurs, se rappelant que le pape Grégoire avait voulu leur imposer de se prosterner devant lui pour lui baiser les pieds, crachèrent par terre, furieux. Ils allaient quitter la villa, lorsque Médicis, toujours occupé du désir de plaire à tous, les mena à part pour leur annoncer, dans un italien très lent et à grand renfort de gestes, qu'une chasse les attendait. D'un genre auquel ils n'avaient encore probablement jamais assisté. Les ambassadeurs grognèrent un assentiment méfiant.

Un rugissement terrible se fit entendre, qui interrompit toutes les discussions. Les femmes, effrayées, se réfugièrent auprès de leur mari ou de leur amant. Costanza Sforza venait d'arriver et elle applaudit des deux mains en rejoignant Clélia.

– Que nous a prévu Ferdinando cette fois-ci ? piailla-t-elle réjouie en embrassant sa chère amie. Il fera sans doute mieux encore que cette course de chevaux qu'il vous avait offerte la dernière fois…

– Qu'il *nous* avait offerte, protesta Clélia, surjouant la vertu.

– Si vous préférez, la taquina Costanza en gagnant le jardin vers lequel les invités se pressaient désormais, attirés par les rugissements qui n'en finissaient pas.

Ferdinando, monté sur les marches de l'amphithéâtre de fortune qu'il avait fait construire pour accueillir la lionne et qu'il avait éclairé à l'aide de torches, renforçant encore l'aspect terrifiant de la bête, faisant danser les ombres, annonça d'une voix forte qu'il offrait cet animal féroce à la dame de ses pensées. Quelques visages se tournèrent vers Clélia, mais la plupart restèrent concentrés sur la lionne.

L'animal, encore tenu enchaîné par Bosso de Ferrare, dresseur florentin, n'avait pas été nourri depuis trois jours et était resté enfermé dans une cage. Un cor signala le lancement de la chasse. On détacha la bête. Dans un premier temps, seuls des Numides furent envoyés dans l'arène, munis pour les uns de carquois, de flèches et d'arcs, pour d'autres de boucliers et de lances. La lionne tournait en rond, grognant et frappant l'air de sa queue, montrant les crocs, évaluant la situation, puis tapie comme derrière un buisson imaginaire, elle attaqua, sauvagement, croquant un Numide à la gorge, qui mourut sur le coup. Le silence se fit dans l'assemblée, parcourue d'un frisson. On n'entendait plus que le bruit des armures s'entrechoquant et celui des lances manquant leur cible et s'écrasant sur le sol. Un veneur à cheval faisait courir la lionne, évitant de justesse qu'elle ne morde les jarrets de sa monture. La course était inégale mais superbe : cet homme recouvert d'une armure dorée qui scintillait au-dessus de la blancheur de la robe du Lipizzan importé d'Autriche par Ferdinando manquait à chaque seconde de se faire dévorer par la lionne affamée qui commençait à perdre ses repères à force de tourner en rond. Quelques Numides parvinrent à la piquer de leurs flèches, mais elle tenait encore bon.

Les invités piaffaient désormais. Lances, flèches et chevaux avaient été mis à leur disposition et tous les valeureux voulaient se lancer dans l'arène, ce que Ferdinando fit le premier. Chevauchant sa monture, il galopa, à la tête d'une armée décadente de nobles romains, déjà éméchés et rendus sauvages par la proximité de la bête africaine. Ils se jetèrent tous à sa suite, dans un désordre frénétique, tandis que la pauvre lionne griffait, mordait, se battait comme une reine, encerclée qu'elle était maintenant par dix cavaliers.

La scène devenait confuse et les spectateurs recommencèrent à bavarder, attendant un prochain temps fort de cette chasse extraordinaire, lorsqu'ils entendirent un fouet claquer, un cor sonner, et virent les assaillants s'écarter pour laisser apparaître, étalée sur le sol, la lionne, la gorge tranchée par la dague de Ferdinando que celui-ci brandissait, ensanglantée, en signe de victoire. Qu'il eût ou non caché un morceau de viande fraîche dans sa main gauche pour appâter la bête et mieux la frapper ensuite, comme le racontèrent certaines *pasquinate* le lendemain, ou qu'il eût réellement su dompter le fauve et l'abattre à la seule force de sa lame, les applaudissements qu'il reçut furent à la mesure de son acte de bravoure ; et, devant tous les spectateurs, harassés d'avoir tant craint, tremblé, encouragé ces héros de la chasse, il déposa le corps de la lionne, encore chaud et sanglant, aux pieds de Clélia.

Les applaudissements reprirent de plus belle lorsque Cesarini, qui n'avait pas participé à la chasse, arriva au galop et enleva sa femme en la soulevant du sol sans ralentir pour disparaître avec elle dans les bois. Encore un spectacle, non concerté celui-là, du trio romain qui serait repris, commenté et amplifié dans les *avvisi* dès le mercredi suivant. Reparaissant quelques minutes plus tard, Cesarini fit un salut aux convives et Clélia, en amazone sur le garrot de son alezan, fut vivement applaudie. Il s'arrêta devant Ferdinando et déclara :

– J'ai préféré vous la ramener tout entière, cette lionne-là, non pas que je ne donne pas cher de sa peau, mais elle tenait à vous féliciter pour cette somptueuse fête, mon cher Médicis. Je reste à cheval, nous rentrons.

Alors qu'il allait battre les flancs de sa monture, Médicis retint son geste.

– Vous n'allez pas m'enlever ainsi la muse de ma victoire ? Les feux artificiels n'ont pas même été lancés.

Au hochement de tête affirmatif de Clélia, Cesarini sauta à bas et la déposa galamment au sol. Au même instant, les premiers feux retentirent et montèrent exploser dans le ciel en une effusion de couleurs. Alors que chacun avait les yeux tournés vers le haut, Clélia se sentit de nouveau soulevée, elle se retourna et vit cette fois Ferdinando qui lui proposa d'aller les contempler depuis leur pavillon.

Dans le carrosse qui la ramenait à son palais, Clélia observait les rues vides de Rome, les yeux encore éblouis par la fête somptueuse de son amant, et elle ne s'habituait pas à l'absence de mendiants. Plus un *grancetto* pour vous tailler la bourse, nul *sbasito* pour jouer les malades, étendu par terre et se lamentant, aucun *brisco* offensant les passants de sa nudité, pas même de *traboccho* feignant à la moindre occasion de tomber malgré le bâton dont il s'aidait pour marcher, ou de *raburnato* se faisant passer pour un possédé… Non qu'elle les regrettât, mais Rome perdait son âme en se privant de ses mendiants, légendes estropiées d'une ville brimbalante, grouillant sur la place du Panthéon, la piazza Navona, le pont Sisto ou le Campo dei Fiori.

Alors que les prélats ressuscitaient les corps des statues antiques en les exhumant des thermes romains, ils n'avaient qu'une hâte, dissimuler ceux des mendiants qui pourtant surgissaient de toutes parts. L'illusion et le faste ne pouvaient pourtant masquer plus longtemps la ruine qui guettait Rome et sa noblesse.

18

Clélia n'avait plus cure d'aucune des rumeurs qui pourtant continuaient à pleuvoir chaque semaine sur son compte. Elle avait vingt-quatre ans, un fils de neuf ans dont il fallait qu'elle assure la destinée, un mari débonnaire qui la protégeait des colères de son père et qui lui accordait une confiance aveugle quant aux affaires de leur ménage. S'il avait été un peu moins volage, Clélia ne s'en serait que mieux portée mais n'était-ce pas finalement accessoire ? Elle ne pouvait lui donner d'autre enfant que leur seul fils Giuliano, malgré des efforts répétés et plutôt agréables. Elle avait un amant ? Qu'importe ! Sa conscience n'en souffrait plus, ainsi que Ferdinando l'avait prédit lors de leur première rencontre au Pavillon des oiseaux. Son amant avait lui-même d'autres maîtresses ? Où était le mal ? Tant qu'elles ne pénétraient pas dans ce pavillon qui leur était réservé… Sans cela, elle jurait qu'elle lancerait chiens, loups et dindons à la poursuite de sa rivale jusqu'à ce que les bêtes aient déchiqueté la moindre parcelle du corps de la traîtresse. Commettre un acte de violence ?

songeait alors Clélia. Purement théorique. Qui avait besoin, aujourd'hui, de se salir les mains alors qu'un tas de petits nobliaux étaient prêts à tout pour faire plaisir à une famille comme la sienne ?

Costanza ne reconnaissait plus son amie, qu'elle avait rencontrée alors qu'elle était encore presque enfant, et qui se livrait désormais à une vie cynique, acceptant toujours plus de plaisirs dans un tourbillon ascendant de dorures et de bals. La « signora Clélia » était devenue une célébrité, et Giovan Giorgio Cesarini était maintenant désigné dans les nombreux *avvisi* concernant les moindres faits et gestes de sa femme comme « le mari de ». Elle était reçue partout, avec et surtout sans son mari, son amant ou son père. Seul son fils l'accompagnait souvent pour faire lui aussi son chemin au cœur de ce nid d'intrigues qui se fomentaient du Vatican à la colline du Pincio.

Toute à l'affection qu'elle éprouvait pour ce fils, Clélia le laissait vivre sa vie, incapable de le voir devenir un jeune homme irrespectueux et arrogant, qui s'entendait à merveille avec les fils de diplomates, d'amiraux ou de cardinaux, chacun reproduisant les ambitions de leur père. Il s'était tout particulièrement accoquiné avec l'un d'entre eux, le cadet de la famille Peretti, petit-neveu d'un obscur cardinal qui vivait dans le quartier insalubre du Quirinal.

Alessandro Farnèse, quant à lui, restait stupéfait des choix de sa progéniture et ne savait plus comment justifier la conduite de sa fille, si outrageusement contraire à la morale et qui risquait, c'était un comble, de lui coûter sa tiare. Et que dire de son petit-fils qui grossissait chaque fois qu'il le rencontrait et ne déméritait pas dans la médiocrité de ses fréquentations. Que n'avait-il laissé Clélia à sa fange parmesane ? se reprochait-il souvent. Elle ne devait sa présence dans la famille Farnèse qu'à une promesse qu'il s'était faite à l'âge de vingt-sept ans pendant l'horreur d'une profonde nuit où il avait découvert le cadavre émasculé de son père, qui se balançait par le pied au bout d'une corde, déchiqueté par les corbeaux puis dévoré par les chiens dans le fossé de son château de Plaisance. Bien qu'il fût déjà cardinal, il s'était alors juré que si la fortune lui accordait la naissance d'un enfant, il ferait tout pour que celui-ci ait un destin à la hauteur de la passion qui avait mû les auteurs de cette ignoble mise en scène. S'il avait abandonné sa fille à cette catin de Parme, se disait-il, la mémoire de son père ne serait pas vengée mais peut-être serait-il déjà pape…

– Peste soit des papes et de leurs cardinaux ! hurla-t-il un jour dans le secret de son palais, avant de s'effondrer à terre de rage.

Ses serviteurs intervinrent assez tôt heureusement pour cautériser l'anévrisme et le Grand Cardinal se réveilla avec une fureur de plus, celle de ne plus pouvoir faire confiance à son corps.

Avertie de l'incident, Clélia envoya des lettres inquiètes à son père, qui ne prit pas la peine d'y répondre, tandis que les *avvisi* continuaient à se déchaîner contre elle. L'épigramme de « la mule Farnèse » reparaissait avec régularité dans la bouche de la statue de Pasquin, si bien que Giovan Giorgio songea à demander au pape de la faire retirer de la piazza Navona. Les réponses dilatoires de Grégoire XIII, hélas, indiquèrent qu'il tenait à laisser les *pasquinate* jouer leur rôle d'exutoire aux colères du peuple de Rome. De plus, tout bon chrétien qu'il fût, l'idée de faire enrager le grand cardinal Farnèse ne lui déplaisait pas.

La rupture d'anévrisme d'Alessandro avait également alarmé son gendre, qui, malgré ses trente ans, était sujet à de fréquentes syncopes. Alors que les médecins ne lui conseillaient que des bains réguliers dans les étuves de Saint-Marc, Cesarini s'ouvrit à Clélia des tourments qui l'agitaient. Il voulait récrire son testament. Qu'allait-il advenir d'elle et de Giuliano s'il venait à mourir brutalement ? Retomberaient-ils immédiatement sous la dépendance du Grand Cardinal ? Allait-il encore les éloigner de Rome, selon son éternel projet ?

Examinant toutes les éventualités, pesant les conjectures, il ne manqua pas de consulter Médicis. Installés dans le salon du Largo di Torre Argentina, les trois amis parvinrent à un compromis qui, s'il fâcherait définitivement le cardinal de son vivant, permettrait de protéger Clélia si celle-ci devenait veuve : Giovan Giorgio conditionnerait l'administration de leur imposant patrimoine familial et la tutelle de Giuliano à l'obligation faite à Clélia de résider à Rome dans leur palais du Largo di Torre Argentina et, surtout, de rester veuve. Pour assurer le respect de ces dispositions testamentaires, il fallait, c'était l'usage, nommer deux exécuteurs. Ferdinando serait l'un d'eux. Restait à choisir le deuxième homme en qui ils pourraient tous trois avoir une entière confiance.

– Et pourquoi pas Giacomo Boncompagni ? proposa Cesarini.

Clélia et Ferdinando, d'un geste, balayèrent la proposition. Clélia n'accordait qu'une confiance modérée à l'époux de Costanza. Non, il fallait trouver plus modeste, mais plus sûr.

À force de noms et d'anecdotes, ils finirent par s'accorder sur la personne de Felice Peretti, un cardinal discret de la région des Marches, issu d'une famille de pêcheurs. L'ascension de Felice Peretti constituait un modèle de talent et d'ambition larvée. On distinguait les cardinaux par l'âge auquel ils avaient été nommés : les rejetons des plus grandes familles l'étaient avant l'âge de vingt ans ; les prêtres méritants, après celui de cinquante. Peretti faisait partie de cette seconde catégorie de l'élite romaine. Il avait été diacre, curé, vicaire général, puis évêque avant d'être enfin nommé cardinal.

Médicis redoutait tout de même une objection : un des neveux du cardinal Peretti venait d'être assassiné par Paolo Giordano Orsini.

– Mais cet Orsini n'est-il pas le meurtrier de votre sœur ? intervint Clélia.

– Dans ce cas, ajouta Cesarini, Peretti n'a rien à vous reprocher. Vous êtes tous deux victimes…

Ferdinando en convint et ajouta qu'il suffirait sûrement de faire miroiter une alliance au cardinal Peretti pour qu'il accepte de devenir l'exécuteur testamentaire de Giovan Giorgio. Médicis songeait qu'ainsi, il aurait les cartes en main, puisqu'il ne rencontrerait en la figure de Peretti qu'un docile factotum, pour s'assurer du bon respect des dernières volontés de son ami si celui-ci venait à avoir le malheur de les quitter. Clélia ne s'y opposa pas, pas plus que Cesarini qui connaissait l'amitié de son fils pour le petit-neveu du cardinal Peretti, le jeune don Michele.

Contrairement à leurs pronostics, le cardinal Peretti ne se laissa pas convaincre avec tant de facilité d'accepter ce que Médicis lui présentait comme un honneur. Il réussit même à inverser subtilement l'alliance et laissa plutôt Médicis redevable de son accord à celle-ci, ce qui ne fit que le remonter dans l'estime du Florentin. Le fils de pêcheur était plus habile qu'il ne le pensait et il songerait à exploiter son intelligence une fois prochaine, se disait-il en scellant le contrat.

Lorsque cette entente incongrue s'ébruita et que les noms des exécuteurs testamentaires du mari de Clélia ne furent plus un secret pour personne, les attaques *ad hominem* contre la belle Romaine se ranimèrent. Désormais, Clélia ne pouvait faire un pas dans Rome sans que celui-ci fût relaté et commenté. Elle se sentait cernée et cela lui pesait. Qu'il était loin le temps où elle était en mesure d'identifier un seul *menante* aux cheveux noirs et au regard féroce ! Ils étaient maintenant légion et leur appétit pour les anecdotes à son sujet augmentait chaque semaine, à tel point que Clélia finit par soupçonner ses proches de les alimenter.

Elle fit le tour de sa domesticité et ne découvrit rien de probant : des querelles de cuisine, des froissements, des sensibilités blessées, mais rien qui la concernât. Elle les payait avec régularité, ayant pris en charge la tenue des comptes de la maison depuis l'affaire des porcs laissés en otage dans le cortile de son palais. Au-delà de leurs gages, elle manifestait toujours une gentillesse pour chacun, fournissait les lettres de recommandation nécessaires à l'établissement d'un enfant, d'un neveu, d'un cousin, ne manquait jamais d'offrir une corbeille les jours de mariage. Décidément, le délateur, s'il y en avait un, ne se cachait pas parmi ses domestiques. Elle soupçonnait vaguement Médicis, qui jouait toujours ses alliances à plusieurs bandes, mais il était aussi la cible des *avvisi* pour l'immoralité de ses actions. Son mari, bien sûr, n'avait aucune raison de la désigner ainsi à la vindicte. Ne restait que son père.

Convaincue, elle tenta une offensive et, pour la première fois, ce ne fut plus son cousin Francesco Maria ou sa tante Vittoria, avec laquelle elle continuait à entretenir une correspondance suivie, qu'elle prit à témoin. Elle écrivit directement au frère de son père, le célèbre Ottavio, duc régnant de Parme, et elle ne retint pas ses accusations :

Son Illustrissime Seigneurie ne se comporte pas avec moi en maître et en père, mais en très cruel ennemi.

Mû par d'autres intérêts, il m'accuse de prendre part aux manquements de mon mari, alors qu'il sait pertinemment que je n'ai aucune autorité sur lui. Il me traite d'une manière tellement étrange qu'on pourrait supposer qu'il est l'auteur des bruits malveillants qui circulent à Rome sur mon compte. Je ne porte pas cette accusation à la légère et assure Son Illustrissime Seigneurie de mon soutien constant à notre illustre famille.

Puissiez-vous en convaincre notre Illustrissime Seigneurie le Grand Cardinal et me libérer de ce poids qui m'ôte tout mon sommeil et ma quiétude.

Elle le remerciait enfin des bienfaits dont il comblait son fils Giuliano. Son père, espérait-elle, serait maintenant dans l'obligation de se justifier auprès de son frère.

19

Ottavio Farnèse ne trompa pas les espérances de sa nièce puisqu'il accourut à Rome, acceptant l'invitation du pape qui inaugurait au Vatican, en présence des plus importants souverains de l'Europe, sa galerie des Cartes géographiques, chef-d'œuvre de la Contre-Réforme, de la science et des arts réaffirmant l'ascendant de Rome sur le monde, et donc de la religion catholique à laquelle ils appartenaient tous.

Clélia et son oncle déambulaient bras dessus, bras dessous du nord au sud de l'Italie en admirant les quarante cartes peintes sur les murs de la galerie. Si le déplacement à Rome du duc de Parme devrait suffire à calmer l'hostilité de son frère, Ottavio rappela pourtant à Clélia que, même s'il l'adorait depuis toujours et qu'il admirait la vivacité de son esprit et la liberté qu'elle cherchait à conquérir, il fallait qu'elle parvienne à maîtriser ce qu'on disait partout d'elle :

– Une Farnèse ne peut être seulement la coqueluche de Rome, elle se doit de détourner cet engouement. Vous devez comprendre, ma nièce, que vous ne pouvez vous contenter, pour que votre influence soit réelle, de paraître dans le monde, d'y briller chaque soir, d'aller partout où l'on vous invite, de ne jamais manquer une fête.

Clélia, surprise de ces reproches, objecta que, sur cent invitations qu'elle recevait chaque mois, elle n'en honorait que le quart.

– C'est encore trop ! reprit Ottavio. Vous avez basculé malgré vous dans la catégorie de celles sur qui l'on peut compter, dont on sait qu'elles répondront présent à une invitation, ce qui est inacceptable pour une Farnèse.

Clélia acquiesça, résignée.

– Votre jeunesse est la meilleure justification à toutes ces erreurs, mais vous ne serez pas éternellement toute récente à Rome. Les vraies étoiles du monde sont le plus souvent fatiguées d'y paraître, et vous devez, pour votre famille mais surtout pour vous-même, vous en écarter le plus possible, n'aller quelque part qu'en sachant que vous seriez mieux chez vous, le faire savoir, et ainsi seulement, l'excitation accompagnant vos moindres sorties finira par se dissiper.

» Je ne me porterai garant de votre conduite auprès de votre père qu'à la condition que vous acceptiez de l'assagir un peu.

Clélia rougit et promit, convaincue par les arguments de son oncle, mais sa déclaration d'abstinence fut vite mise en doute par Ottavio lorsqu'il la vit, quelques instants plus tard, rire et s'amuser avec son amie Costanza Sforza, comme la jeune femme de vingt-cinq ans qu'elle était. Le duc de Parme soupira et rejoignit son frère, Alessandro Farnèse, qui s'entretenait avec Ferdinando de Médicis d'une messe qu'ils devaient donner tous deux à Pâques. Rien dans leur conduite ne laissait soupçonner leur animosité réciproque, et le réel sujet de leurs préoccupations était passé sous silence : l'offre d'achat par Médicis de la collection d'antiquités de la famille Della Valle, à laquelle Alessandro s'opposait par des manœuvres contre son rival auprès du pape. Comme l'eussent fait deux amis, ils admiraient ensemble le bleu intense choisi pour représenter la mer, lumineuse, ridée de vagues légères, vivante comme si elle frissonnait sous le souffle des vents.

Cesarini se rapprochant d'eux, Médicis vit une civile échappatoire à sa conversation avec Alessandro Farnèse et s'éloigna avec son ami pour rejoindre Clélia et Costanza. Ottavio prit son frère à part et lui résuma sa conversation avec la belle Clélia. Ils observèrent les quatre jeunes gens qui arpentaient la galerie de long en large, cherchant à localiser sur ces cartes les traces de la gloire de leurs familles respectives, espérant à leur tour répéter les exploits de leurs ancêtres et admirant les lieux de leur enfance, de leur mariage, avec une nostalgie que n'éprouvaient plus leurs parents, eux dont la prochaine halte se résumait au tombeau.

– Que penses-tu de ses promesses, mon frère ? demanda alors Ottavio en désignant Clélia du menton, méfiant.

– Elles seront oubliées aussitôt prononcées, je le crains.

Je ne me fais plus d'illusions hélas… mais que veux-tu, elle reste ma fille…

– Tu dois trouver une manière de l'assagir, Alessandro. Elle s'est adressée à moi cette fois-ci. Qui nous dit qu'elle ne tentera pas d'intervenir auprès du pape la prochaine fois ?

– Tu ne sais pas ce que tu me demandes, Ottavio. Je ne vais tout de même pas la bâillonner !

– Elle est dangereuse. Jolie certes, attachante sûrement, cultivée et passionnante, mais dangereuse. Et tu es faible, mon frère. Si tu ne t'en occupes pas, je m'en chargerai. Dans son intérêt, il serait préférable que tu sois le messager, tu as toujours été plus diplomate.

Alessandro perçut la menace qui sourdait derrière l'ironie de son frère et acquiesça.

Clélia, tout en bavardant avec ses amis, ne manquait pas un geste de l'altercation entre son oncle et son père. Ottavio semblait menaçant et elle nourrissait l'espoir d'avoir fait le bon choix en s'adressant à lui.

Le lendemain, elle attendit tranquillement la visite repentante d'Alessandro en son palais, jouant aux dames avec Giuliano, toujours plus gras, évidemment tricheur, qui avait troqué son amour macabre des insectes pour une passion du jeu qui rappelait douloureusement à Clélia la faiblesse de Giovan Giorgio. Alessandro ne se montra point. Pas plus ce jour-là que les semaines qui suivirent. Et au moment où Grégoire XIII imposa à son peuple, ainsi qu'à toute l'Europe catholique, de modifier le calendrier julien pour en supprimer onze jours et ainsi rattraper le retard astronomique accumulé en seize siècles, Clélia prit sa plume et écrivit une lettre à son père, la première depuis longtemps.

« Votre Altesse Sérénissime, mon cher père,

Un bâtard Cesarini est né hier dans une masure romaine. On m'a épargné d'organiser l'accouchement de celle que je n'ose appeler catin puisqu'elle aurait pu être ma mère. N'est-ce pas ainsi que vous m'avez transportée chez ma tante il y a vingt-cinq ans ? Une femme alors engendra une demi-Farnèse, moi, que vous vous êtes employé à intégrer de force à votre descendance. À quel prix et dans quel but si c'est pour aujourd'hui me traiter de la sorte, me bannir de votre palais, me priver de votre présence et de vos conseils ?

C'est la fille sans mère, la mère privée de son fils pendant six longues années qui vous écrit ce soir, la bâtarde adoptée et la mère adoptive. Je ne quémande pas votre aide, ni ne reproche rien à mon mari qui, comme vous avant lui, cherche simplement à assurer sa descendance. Giuliano ne cesse d'enfler, inquiète les docteurs et, malgré tous mes efforts, mon ventre refuse d'enfanter à nouveau. La décision de mon mari est sage et comme vous le fîtes vous-même pour moi, cet Ascanio, puisque c'est son nom, recevra une éducation digne des Cesarini et figurera sur son testament. Je ne puis m'y soustraire, même si ce manquement de Giovan

Giorgio à notre union me désole et me blesse. Tout homme a des maîtresses, mais quel homme prétend aduler son épouse pour finalement la déshonorer ?

Vous seriez autorisé à m'opposer une liste de reproches, je n'en suis que trop consciente, mais ce coup du sort les dépasse tous.

Vous pouvez rire de mon malheur, ou vous pouvez y compatir. Je sais que vous ferez le bon choix.

Votre Clélia, à vous, pour toujours. »

Au cours des semaines qui suivirent, alors que Clélia ne recevait aucune réponse de son père, le temps sembla se mettre au diapason de son état d'esprit : les eaux du Tibre se déchaînèrent, le ciel se stria d'orages constants, la pluie tomba sans discontinuer, les fondations du Panthéon furent noyées sous plus de trois mètres d'eau, les rues devinrent impraticables, les réserves de grain, quand elles ne furent pas pillées par les Romains affamés, s'effondrèrent et pourrirent noyées les unes après les autres. Chaque jour, on recensait une famille ayant succombé à la famine. Du pain fut distribué au peuple mais les maladies, partout, décimaient la population, tandis que, rageuses, les pluies poursuivaient leur travail de dévastation.

Si les Romains attribuaient au pape la responsabilité de cette « revanche des cieux », lui qui avait osé défier l'ordre divin en transformant le calendrier des hommes, Clélia y lisait l'accusation muette de son père. Retenue dans son palais du Largo di Torre Argentina, elle devait assister à la croissance de cet Ascanio qu'elle avait, avec l'accord de son mari, remisé dans l'aile Argentina dans laquelle Giuliano passait son temps, puisque c'était celle de la cuisine. À l'âge de dix ans, son esprit pernicieux ne s'était guère apaisé et il ne fut pas rare d'entendre les cris déchirants du nourrisson tourmenté par son frère qui, sous couvert de farce, remplaça une fois son édredon par une couverture de crin, enduisit une autre ses lèvres de miel chaud, lui provoquant des coliques épouvantables. La nourrice le grondait, mais son salut venait toujours de ses parents, tétanisés par ce qu'ils avaient eux-mêmes enfanté et incapables de s'intéresser assez longtemps à son cas pour tenter de le transformer, accusant l'éducation reçue chez Alessandro et se déchargeant ainsi de toute responsabilité.

Lorsqu'une éclaircie tempérait la violence des orages romains, Clélia courait rejoindre Ferdinando qui, protégé par sa position dominant Rome depuis sa colline du Pincio, ne subissait pas les ravages des inondations qui sévissaient partout dans le Champ de Mars, noyant socles et colonnes et menaçant les palais de s'effondrer les uns après les autres. Loin des braillements du Largo di Torre Argentina et des regrets de Giovan Giorgio qui, malgré la fierté d'avoir engendré un nouvel héritier, tentait de se faire pardonner son dernier affront par sa femme, qu'il disait toujours adorer, Clélia retrouvait sa légèreté et s'abandonnait à la douceur des caresses de son amant, égal à lui-même, toujours prêt à la recevoir. Alors qu'ils étaient allongés au milieu des Niobides, un groupe de statues que Ferdinando venait d'acquérir, il lui rappelait le mythe à l'origine de cette œuvre : Apollon, pour punir la reine Niobé de s'être vantée de sa nombreuse progéniture, tua treize de ses quatorze enfants.

– Ah non ! pas d'enfant, plus d'enfant, par pitié, mon cardinal !

Et Médicis délaissa le corps marbré des victimes d'Apollon, murmurant à Clélia que ce voisinage de la souffrance et de la volupté l'excitait au plus haut point. C'était sublime et désespéré, une métaphore de leur sort à tous. Clélia s'abandonna dans les bras de son amant, oubliant luttes romaines et tragédies familiales pour chérir l'instant baroque de ces rencontres sous le signe de la mort.

De retour de l'une de ces escapades, Clélia trouva enfin une réponse de son père :

« *Memento mori*, ma petite, souvenez-vous que vous allez mourir. Ne vous dispersez pas, restez telle que vous êtes, c'est ainsi que je vous aime, n'en déplaise à tous.

Je ne puis rien de plus pour vous à cette heure, vous devez me comprendre. Il m'est impossible de tolérer publiquement la conduite que vous faites tous deux de votre ménage et dont je ne vous tiens pas pour responsable. Je vous reviendrai, je vous le promets.

À vous pour toujours, ma fille.

Alessandro. »

20

Au sommet du palais sénatorial, sur la place du Capitole, les cloches résonnèrent du haut de la tour de la Patarina. Le pape Grégoire XIII était mort.

Depuis quelques jours, Rome frissonnait de rumeurs quant à son mauvais état de santé, que son fils, Giacomo Boncompagni, qui avait déjeuné la veille avec lui, avait tenté d'infirmer. Mais le peuple n'était pas dupe et, de la piazza Navona à la place du Panthéon, les paris concernant le jour de la mort du pape avaient fait rage.

Le matin du 10 avril 1585, le maître de chambre du pape, le voyant très pâle, avait fait intervenir les médecins qui l'avaient jugé proche de la mort. Le Grand Cardinal Alessandro Farnèse, en sa qualité de doyen du Sacré Collège, avait été convoqué, ainsi que la plupart des cardinaux.

Mon heure est enfin venue, s'était dit Alessandro.

C'était lui qui allait succéder à Grégoire XIII. Au chevet du pape mourant, alors qu'il accomplissait pour lui les derniers sacrements, il avait songé aux alliances qu'il allait devoir former pour réussir son élection. Il avait calculé, tout en préparant l'huile nécessaire au rituel de l'extrême-onction, qu'une soixantaine de cardinaux seraient présents au conclave qui allait s'ouvrir. Il n'imaginait pas plus de six factions en concurrence. Après un «Je vous salue Marie», le cardinal Alessandro Farnèse avait rejoint ses confrères, animé d'une certitude : cette élection serait la sienne. Il devait s'imposer.

À dix-huit heures, le pape avait expiré. L'instant d'après, son chambellan prit de plein droit la direction des affaires de l'État et réunit les cardinaux. Il fallait organiser la lutte contre les troubles et les pillages du Vatican et des demeures cardinalices qui allaient, selon la coutume, se répandre sur Rome pendant le moment dangereux de vacance du pouvoir. Six portes de la ville furent immédiatement fermées, empêchant quiconque d'entrer ou de sortir. Deux mille fantassins et quatre compagnies de cavalerie furent mis à disposition pour défendre les portes de Rome.

Alors que Rome parait toute menace extérieure, pigeons et émissaires furent envoyés partout en Europe pour annoncer la mort du Souverain Pontife. La nouvelle fut reçue avec regret en Espagne, avec indifférence à Prague, tandis qu'à Paris et à Venise, on l'accueillit avec une satisfaction mal déguisée. Les ambassadeurs étaient déjà en route pour s'assurer que le successeur désigné par le conclave servirait les intérêts de leur nation respective.

L'élection n'était pas encore ouverte, mais déjà dans les

rues, sur les places, devant les grandes banques romaines, des courtiers affichaient et enregistraient les cotes qui correspondaient à la valeur monétaire du bulletin. Cesarini, tout en ayant été chargé par Boncompagni d'assurer l'ordre public dans son quartier de la place du Panthéon, passait son temps à acheter et à revendre des reçus.

La ville bouillonnait de rumeurs, d'*avvisi*, de *pasquinate*, tandis que, placé sur le catafalque de la basilique Saint-Pierre, le corps du pape était animé en continu par deux palefreniers, chargés d'agiter sans relâche des éventails autour de lui, simulant sa présence et permettant de masquer au peuple le vide du pouvoir politique et religieux romain. Sa dépouille, qui aurait pu être malmenée par la population sans peur de représailles divines puisqu'elle perdait tout son caractère sacré à sa mort, n'eut à subir aucune des avanies réservées à ses prédécesseurs. Grégoire XIII avait été aimé.

Alors que le conclave débutait deux jours plus tard, Clélia reçut la visite des trois hommes de sa vie : celle de son père, celle de son mari et celle de son amant, tous trois impliqués, pour des raisons différentes, dans cette élection. La motivation de Cesarini était financière, il était inquiet. Il avait misé douze mille ducats sur l'élection du cardinal Altemps la veille, mais la cote de celui-ci était descendue en flèche pendant la nuit. Il craignait de perdre cet argent et venait en avertir sa femme, lui promettant de rétablir sa situation financière par le biais d'autres paris bien plus profitables.

Mais cette soudaine cote du cardinal Altemps avait aussi inquiété son père et son amant : si celui-ci venait à devenir pape, Cesarini gagnerait certes quelques ducats, mais Médicis y ruinerait sa réputation, et Farnèse verrait s'effondrer l'ambition de sa vie. Ainsi le Grand Cardinal n'avait-il plus d'autre choix que de renouer avec sa fille. Il ne pouvait négliger aucun appui. Clélia, surprise et heureuse de ce retour en grâce, ne marchanda pas son soutien. Elle le pouvait d'autant mieux que Médicis ne lui demandait rien de tel. Il se contentait de venir parader régulièrement au palais Cesarini, s'assurant que sa présence fût remarquée par les courtiers et les *menanti* et que ceux-ci en déduisissent le ralliement des Farnèse aux Médicis. Dans un jeu de dupes, nul ne peut se prévaloir d'être d'un seul côté de la ligne qui sépare les dupeurs des dupés et chacun navigue en eaux troubles entre ces deux rivages.

Un revirement du sort vint pourtant endeuiller la famille Farnèse, à la veille du conclave prévu le dimanche de Pâques. Alors que Giovan Giorgio revenait de la piazza Navona où il avait, à la demande de Clélia, fait monter la cote d'Alessandro Farnèse en misant une somme volontairement extravagante sur lui, et alors qu'il rentrait dans son palais annoncer la nouvelle à sa femme, il eut à peine le loisir de lui tendre son reçu qu'il s'effondra, frappé d'une crise d'apoplexie aussi massive qu'imprévisible. Il n'était pas midi.

Lorsque les médecins se présentèrent, le corps de Cesarini était déjà froid. Il était mort comme il avait vécu, dans le tourbillon des jeux et des paris, où une fraction de seconde décide de son sort.

Brisée, Clélia ne croyait pas encore à la réalité du deuil qui s'abattait sur elle, malgré les tentures noires qui vinrent masquer les portes et les fenêtres du palais Cesarini. Plongée dans l'affliction la plus profonde, Clélia n'avait que le temps de régler les détails pratiques liés à la mort de son mari. Son père et Médicis entraient en conclave le lendemain. Non seulement Giovan Giorgio n'avait pas reçu l'extrême-onction de son vivant, mais son corps ne pourrait être veillé comme il le fallait, ni même probablement enterré par un membre de sa famille, car nul ne pouvait prédire la durée d'un conclave.

Giuliano entra précipitamment au palais, interrompant Clélia dans ses sombres réflexions. Il voulait à tout prix raconter à sa mère son entrevue avec son ami don Michele, qui lui avait livré des informations si secrètes qu'il fallait impérativement en avertir son père pour qu'il revende sans délai les reçus de ses paris, s'il le pouvait encore. Clélia lui coupa la parole pour lui annoncer la terrible nouvelle. Son père reposait pour toujours. Alessandro, averti par sa fille, avait pu se libérer et il était en train d'accorder à son gendre la bénédiction qu'il ne lui aurait jamais concédée de son vivant. Tétanisé, Giuliano s'approcha du lit. Il se voyait confronté pour la première fois à la mort d'un être aimé. Il avait certes aperçu, depuis son carrosse, bien des corps gisant à terre, avait entendu rapporter des histoires de meurtres, d'assassinats, mais il ne s'était jamais retrouvé face à la dépouille d'un homme, et c'était celle de son propre père qu'il approchait ainsi. Les larmes lui vinrent aux yeux. Elles ne parvinrent pas à couler, comme si ces treize années passées en compagnie de son grand-père et de ses parents, mais le plus souvent seul ou avec des nourrices puis des précepteurs, avaient annihilé sa capacité à s'émouvoir. Alessandro étreignit son petit-fils en silence pendant un très long moment et s'excusa de ne pouvoir rester auprès d'eux.

Au départ de son grand-père, Giuliano fut rejoint dans la chambre mortuaire par ce nouveau petit frère qu'on lui avait imposé depuis trois ans, cet Ascanio qui ne semblait demander à la vie que la rançon de sa joie et qui, aujourd'hui, ne comprenait pas pourquoi son père jouait à rester allongé sur son lit. Il le poussait de son bâton de pirate et attendait une réaction de sa part, en vain. Giuliano se laissa attendrir par cette innocence de l'enfant qui ne perçoit la vie que comme un grand théâtre préparé pour son plaisir. Il lui passa doucement une main dans les cheveux, sans avoir le cœur à la farce, puis le raccompagna vers sa nourrice qui le prit dans ses bras. L'incompréhension de son petit frère devant la situation lui fit enfin ressentir l'émotion qu'il s'interdisait de laisser émerger jusqu'alors.

Comme Ascanio, il était désormais orphelin. Sans père,

de quelle autorité allait-il désormais dépendre ? De son grand-père, qui l'avait élevé dans son enfance ? Ou de sa mère… mais que pourrait-elle pour lui ? Sans mari, elle n'était plus personne. Quelle position une veuve de vingt-huit ans occuperait-elle sur la scène romaine ? Sans parler de sa réputation, qui devait désormais achever d'être ruinée par ses détracteurs, maintenant qu'ils n'étaient plus intimidés par la puissance de Cesarini. Aujourd'hui, « la mule Farnèse » allait devoir trouver des ressources si elle décidait de demeurer à Rome. Peut-être envisagerait-elle d'épouser Médicis ? Un cardinal diacre pouvait toujours être démis sans honte de ses fonctions religieuses par le pape et épouser une femme…

Submergé par l'émotion d'abord, Giuliano observait à présent le corps de son père avec froideur, et même avec un certain mépris. Que méritait cette enveloppe charnelle si elle n'était pas en mesure de protéger sa famille ? Si, à trente-cinq ans à peine, elle décidait de tout abandonner ? La réponse dans l'esprit de Giuliano se résumait à un seul mot : rien. Ce cadavre n'était plus rien. Pour lui, pour sa mère, pour Ascanio. L'esprit de son père n'avait pas été assez fort pour lutter contre l'embarras que lui causait son corps. Tant pis pour lui.

À force de délires morbides et pessimistes, Giuliano perdit lui aussi le commandement de ses membres et il fallut l'aliter. Une fièvre inquiétante s'empara de lui, qui nécessita de rappeler les médecins. Ceux-ci prescrivirent beaucoup de repos. Le mal venant aussi des reins, que Giuliano malmenait avec la nourriture constante qu'il y faisait pénétrer, les médecins lui prescrivirent donc deux gros morceaux de térébenthine de Venise à prendre chaque jour arrosés de quatre gouttes de sirop d'amande, pour adoucir son estomac. Clélia, à qui toutes les interrogations muettes de son fils n'avaient pas échappé, elle qui était confrontée aux mêmes doutes, se retrouva ainsi, en moins de vingt-quatre heures, veuve priant sur la dépouille de son mari recouverte d'un linceul aux armes de la famille Cesarini, mère au chevet du corps malade de son fils, tandis que son père et son amant partaient combattre, en fidèles soldats de l'Église, dans une lutte obstinée pour la tiare papale.

Les cardinaux étant entrés en conclave, Clélia ne fut plus informée que par la rumeur, qu'elle recueillait à mesure que les visiteurs, désœuvrés par la vacance du pouvoir, se pressaient chez elle pour rendre leur dernier hommage à son mari. Après les condoléances d'usage et devant les tentures de damas bleu nuit, ils apprenaient à Clélia que les six factions initiales s'étaient réduites à deux, le parti de Farnèse s'opposant à celui de Médicis, dans un duel de titans : qui du taureau ou du lion allait l'emporter ? Voilà qui les préoccupait bien plus que le cadavre de Cesarini tout proche.

Les visiteurs du soir confirmèrent une percée du Grand Cardinal. La nuit tomba enfin, libérant Clélia de ces visites incessantes. Elle l'employa, anéantie, à veiller le corps de Giovan Giorgio.

Au matin du jour de Pâques, les rumeurs se réveillèrent et les paris s'ouvrirent avec une baisse de la cote d'Alessandro Farnèse de soixante à trente pour cent. Son élection n'était plus estimée par les Romains comme une éventualité. Trois jours plus tard, à treize heures précises, le cardinal Peretti fut élu par acclamation et prit le nom de Sixte Quint.

Médicis se présenta ainsi en fin de journée au palais du Largo di Torre Argentina devant Clélia qui, selon les usages, veillait toujours son défunt mari, dont un embaumeur venait de recouvrir le corps d'un onguent pour le conserver le plus intact et le moins odorant possible. À l'arrivée de Ferdinando, elle demanda aux domestiques de sortir et de ne plus laisser entrer quiconque. Que les visiteurs l'attendent dans le salon, le cardinal de Médicis, leur annonça-t-elle, désirait bénir le corps de son ami.

C'est ainsi qu'ils se retrouvèrent tous les trois, comme avant, dans la chambre de Giovan Giorgio, au sein de ce palais où Médicis avait fait la rencontre de Clélia, quatorze années plus tôt, et les larmes montèrent aux yeux des deux survivants de ce trio. Médicis s'effondra sur le corps de Cesarini, tenant sa main roide. Clélia s'approcha de lui et ils pleurèrent, accolés, devant cet homme qui avait été la justification de leur amour, en même temps que son absolution. La bonté et l'intelligence de Giovan Giorgio n'avaient pas encore quitté son visage désormais immobile et Ferdinando resta un long moment silencieux, submergé par les souvenirs. Puis, se redressant, il toussota pour se donner de l'entrain et, s'adressant à Giovan Giorgio, il entreprit de lui raconter l'effervescence du conclave et de lui faire le récit de l'élection de Peretti, leur dernière victoire à tous les trois, car c'était bien leur alliance, scellée autour de l'exécution du testament de Giovan Giorgio, qui avait décidé du sort de cette élection et qui avait permis de tromper Alessandro Farnèse jusqu'au dernier moment.

– Mon ami, commença-t-il, serrant le bras de Clélia pour se donner du courage, je te passe les détails du début du conclave, mais il faut que tu saches que, même si j'ai gardé la main pendant les quatre jours seulement qu'il a duré, j'ai commencé par un coup de maître que tu n'aurais pas désavoué : pour nourrir la volonté de puissance d'Alessandro, je lui ai d'abord opposé deux candidats qui, s'ils avaient été choisis, n'auraient pas fait de mauvais papes, mais n'en avaient certainement ni l'envergure, ni les soutiens. Je suis allé jusqu'à sommer mes confrères de procéder au vote qui s'est, selon mes prévisions, arrêté en cours tant les factions étaient encore fébriles. Nul n'aurait accordé, dès le premier jour, son vote à un candidat, quel qu'il soit.

» C'est par ce biais que les aspirations d'Alessandro se sont cristallisées : croyant que je n'avais pas d'opposant sérieux à lui confronter, il vit une voie royale s'ouvrir devant lui, alimentée par les rumeurs que j'ai moi-même forgées, aidé par un serviteur zélé du Vatican. J'ai tout disposé pour que le Grand Cardinal, tellement gonflé de l'espoir et de l'orgueil d'être élu, se départisse de sa méfiance et coure tête baissée vers son élévation.

» Deux jours plus tard seulement, attendant que les convictions s'affirment et que mon allure de vaincu confirme les prédictions du clan Farnèse, je sortis ma carte suprême, à laquelle nul n'avait pensé, et c'en fut fini des Torres, des Altemps, des Farnèse, des Sirleto. J'avançai mon atout : le bénin Peretti. Un homme docte, comme tu le sais – Médicis maintenant s'enhardissait et arpentait la pièce en faisant le tour du lit –, agréable à tout le monde, ne dépendant de personne, d'une parentèle médiocre, avec seulement deux petits-neveux et une sœur, très zélé dans le culte divin, habile tout de même et ayant montré, sous le pontificat de Pie V dans les années soixante, une grande aptitude aux affaires, mais oublié depuis et perçu comme un être inoffensif. Infirme qui plus est, avec sa canne qui lui permet de marcher sans trop boiter. Bref, humble, malléable, moins ambitieux que quiconque dans cette salle du conclave, dont d'ailleurs il n'a pas poussé la porte, préférant rester prier dans sa cellule plutôt que de participer aux débats. Mais nous, mon ami, qui le connaissons, nous l'avons vu à l'œuvre : il tousse par habitude et ne boite que quand on le regarde. Au fond de lui, c'est un tigre que cet homme, un tigre réfléchi cependant.

» Lorsque je suggérai son nom au cher cardinal d'Este et à cet imbécile de Madruccio, qui croit toujours avoir eu l'idée qui vient de lui être soufflée, tous deux le jugèrent excellent et résolurent de le faire élire, sous réserve que je leur confirme que l'affaire Paolo Giordano Orsini n'interférerait pas dans l'avancée de l'élection. Ce que je fis, grâce à toi et à ce testament dont nous sommes tous deux exécuteurs et qui nous avait déjà permis, au cardinal et à moi, de nous réconcilier.

» Ah, mon ami, dit-il chaudement, en enserrant les épaules du cadavre de Giovan Giorgio, cette élection, je te la dois ! Et à toi aussi, Clélia, ajouta-t-il en lui baisant la main. Sans ton accord, nous n'aurions rien pu décider. Bref, je serai rapide, même si tu as désormais l'éternité pour m'écouter. Felice Peretti s'est très bien conduit dans sa cellule où nous le recontrâmes, forçant sa difficulté à respirer, laissant présager que son règne serait de peu de jours, et que le risque de l'élire n'était pas grand. Il se fit même prier, arguant qu'il ne se connaissait pas assez de force pour soutenir un si pesant fardeau, que son peu d'expérience dans les grandes affaires le rendait incapable de se charger de celles de l'Église, à moins d'y avoir assistance et secours. Este et Madruccio, tu t'en doutes, plongèrent dans la brèche, l'assurant que nous trois l'y aiderions ; ce à quoi il osa répondre que si nous le faisions élire, nous nous placerions nous-mêmes sur le Saint-Siège et partagerions le pontificat avec lui.

» Tout le temps que durèrent ses atermoiements, je l'observai comme on admire un maître ; car cet homme en est un, mon cher Giovan Giorgio, et un grand ! Un immense ! Peut-être même supérieur à Jules II, Paul III ou Léon X, les grands papes de ce siècle. Je puis assurer qu'avec ce choix, c'est la figure de Rome qui va s'en trouver transformée. Cet homme est un point de bascule, je le sens.

» Enfin, reprit-il, nous promettons à Peretti qu'il saura toujours trouver en nous de puissants protecteurs et, sortant de sa cellule, nous engageons le processus de persuasion du Collège, à force de caresses et de menaces bien appliquées. Et le pauvre Farnèse, si fin diplomate qu'il fût, ne s'aperçut qu'il avait manqué l'élection que lorsque celle-ci lui échappa vraiment et fut approuvée par tous. Pendant tout ce temps et malgré les alliances qu'il voyait se nouer autour de lui, il était resté persuadé qu'une entente entre un Médicis et un Peretti n'était pas réalisable, à cause toujours de l'affaire Paolo Giordano Orsini, oubliant que si ce brigand avait arraché son neveu à Peretti, il avait aussi assassiné ma sœur... Lorsque Alessandro comprit que l'alliance était scellée et admise de tous, il était trop tard pour contre-attaquer. Peretti était déjà élu et Sixte Quint était né.

» Le nouveau pape se redressa alors de toute la grandeur de ce corps qu'il amoindrissait jusque-là avec son bâton de prêcheur et entonna un *Te Deum* d'une voix si éclatante que toute la chapelle en retentit. La comédie fut jouée à treize heures ce 25 avril, et Peretti eut la générosité, comme il est d'usage, d'accorder son vote au Grand Cardinal Farnèse. Tu imagines la suite, la croix présentée au peuple, les acclamations, Farnèse tenu de poser la mitre sur la tête de Peretti, les baisers sur le pied du nouveau pape et les bénédictions.

» Nous avons gagné, mon ami, rassure-toi. Tu peux reposer en paix.

Achevant son récit, Ferdinando déposa sur le front de Clélia un chaste baiser et, après un pas de danse, il revint à elle et l'enserra comme un amant, le corps de Giovan Giorgio toujours à leur côté.

21

– Cent soixante mille écus de dettes ! Cent soixante mille ! Mais vous réalisez, Clélia ? Vous êtes ruinée. Non pas seulement veuve, mais ruinée.

Au réquisitoire d'Alessandro, doublement furieux d'avoir manqué son élection et de voir la dot de sa fille évaporée par les dettes de Cesarini, Clélia répondit en le suppliant de lui accorder du temps.

Il accepta mais la mit tout de même en garde contre la façon dont il supposait qu'elle comblerait ses dettes : ayant déjà tout accordé à son Ferdinando de Médicis, elle avait peu de chances d'en obtenir encore quoi que ce soit…

– Et si votre obscène accord ne se concrétisait pas, je vous promets de vous remarier au plus vite, avec un duc ou un baron installé hors de Rome, pour vous éloigner enfin de cette ville qui vous a été si funeste.

22

Clélia ne croyait pas son père capable de la condamner à un tel châtiment... Elle décida de rejoindre son amant au Pavillon des oiseaux pour éclaircir la situation. Ce qu'elle y entendit la heurta. Médicis, inconscient des réalités matérielles, lui qui avait encore obtenu le versement de cent vingt mille écus de son frère le grand-duc pour rembourser ses dettes, lui assura avec désinvolture qu'elle ne devait pas s'inquiéter. Personne, à Rome ou à Florence, ne vivait sans crédit. Ce n'était pas soutenable mais tel était l'usage. Clélia s'emporta alors contre cet homme qui, malgré toutes ses déclarations, ne subissait en rien le même traitement qu'elle : il était Médicis, et ce nom seul était, partout en Italie, en Europe, jusqu'aux confins de la Terre et pour des siècles encore, synonyme de banque, et donc de richesses inépuisables. Médicis, flatté que Clélia perçût ainsi sa famille mais désireux d'apaiser sa colère, quoiqu'il la trouvât plus belle encore lorsqu'elle était énervée, lui promit de faire le nécessaire. Clélia protesta, elle ne pouvait accepter pareille proposition, qui, en plus d'être dégradante, relancerait les rumeurs sur leur liaison. Médicis lui coupa la parole, tenant fermement son visage entre ses mains :

– Ton mari avait bien consenti, lui, et sans se faire prier.

Clélia s'écarta.

Elle réfléchissait, comprenant a posteriori l'aisance soudaine de Giovan Giorgio après l'affaire des porcs dans la cour de son palais. Une moue de dégoût naquit sur son visage. Le contrat qu'il avait passé avec Médicis revenait pour Cesarini à vendre sa femme à son ami pour se défaire de l'influence de son beau-père Farnèse.

– Ce pacte, lui répondit-elle, glaciale, s'il a bien existé, tu ne l'as pas respecté puisque Giovan Giorgio meurt en laissant cent soixante mille écus de dettes. Où sont-elles, tes créances ? Encore à prélever, j'imagine ? Veux-tu que je m'allonge ou préfères-tu que nous fassions cela debout ?

Médicis la traita doucement de folle, lui tournant autour en murmurant que ce qu'il aimait chez elle, c'était cette incapacité à mentir, à passer sous silence, à absoudre... Ce qui faisait d'elle une grande dame, libre malgré les pressions et les obligations.

– Tu ne m'as pas répondu, repartit-elle froidement.

– Si on se mariait ? enchaîna Ferdinando, se rapprochant de sa maîtresse, et tentant une réconciliation.

Celle-ci recula, interdite devant l'absurdité de sa proposition.

– Je comprends mieux, dit-elle d'un ton que toute sensibilité avait abandonné, tu dis donc n'importe quoi. Et tu imagines que tes interlocuteurs seront assez stupides et naïfs pour te croire. C'est ainsi que tu avances tes pions, promettant tout et attendant des autres l'oubli de tes mensonges… Heureusement que Peretti n'a pas réellement cru pouvoir s'appuyer sur toi pour gouverner. Il aurait été déçu.

– Souvent, les hommes sont plutôt heureux de constater que, finalement, ils réussissent très bien tout seuls. Cette aide que je leur fais miroiter leur permet simplement d'acquérir assez de confiance en eux pour accepter ma proposition, heureux d'avoir le sentiment de me flouer, répondit Médicis, ironique maintenant. Quant à mon offre de mariage, libre à toi de dire oui. Tu es veuve, je trouverai le moyen de me libérer.

Clélia repoussa son amant en secouant la tête, sans pouvoir s'empêcher de sourire de sa générosité d'emprunt, et elle quitta le Pavillon, décidée à obtenir une entrevue avec Camilla Peretti, la sœur du nouveau pape, qui lui semblait contre toute attente la plus humaine de ses connaissances.

23

Elle l'avait rencontrée lors de la cérémonie funéraire de son mari. En quelques jours seulement, cette femme avait acquis une considération publique que trente ans de carrière ecclésiastique de son frère ne lui avaient pas permis d'atteindre jusque-là. Assez disgracieuse, d'un caractère brutal et décidé, elle apparaissait à tous comme une dangereuse matrone, béotienne campagnarde à qui il faudrait désormais rendre des hommages quotidiens pour garder une position avantageuse auprès du nouveau pape.

Le buste droit, Camilla s'était approchée du cercueil de Giovan Giorgio, dans le caveau de la chapelle Cesarini attenante au palais du Largo di Torre Argentina et, à la grande surprise des assistants, elle s'était approchée de Clélia, lui parlant longuement à voix basse, émue par le chagrin de la jeune femme, au point de l'étreindre avec douceur, lui laissant entendre qu'elle attendait sa visite dès la fin de son deuil.

Pourtant, Clélia représentait tout ce qu'elle et son frère abhorraient : le manque de légitimité d'abord de la naissance, la tendance à la futilité au travers de mondanités toujours plus luxueuses et débauchées, l'aisance ensuite, que Clélia manifestait en tout, dans ses moindres gestes, ses paroles douces adressées à chacun, les rires qu'elle provoquait par ses saillies, les répliques qu'elle était capable d'apporter immédiatement en réponse à un interlocuteur malséant, la légèreté de ses mœurs enfin qu'elle compensait par une indépendance sans revendication, ce qui apparaissait à Camilla comme le privilège des gens bien nés.

Elle ne possédait pas le dixième de ce qui avait été mis à la disposition de Clélia et pourtant, celle-ci pressentait qu'elle ne chercherait pas à en tirer vengeance. Elle espérait que Camilla et elle se retrouveraient sœurs de lutte dans une alliance aussi improbable qu'a priori incompatible.

Elle la trouva dans sa villa éloignée du Quirinal, à l'est de Rome, écrivant une missive à un cardinal. Camilla posa sa plume et accueillit Clélia avec autant de chaleur que le jour de l'enterrement de Cesarini. Elle lui offrit une oreille attentive, et garda pour elle son étonnement face à cette noblesse romaine que le peuple imaginait assise sur des monceaux d'or dans ses palais dont la moindre alcôve était remplie par la myriade de peintres et de fresquistes qui y travaillait à toute heure. Comment ces gens-là pouvaient-ils inventer autant de moyens de mettre en scène leurs richesses, et en même temps perdre la raison au point de contracter de telles dettes, au risque de menacer l'avenir de leurs enfants et de leurs biens ? Il faudrait qu'elle en discute avec son frère, songeait-elle en écoutant les propos précis et accablés de Clélia. Mais que jouaient-ils tant, aussi, tous ces riches ? pensait-elle. Elle entendait Clélia lui raconter les pertes régulières de son mari aux paris et au jeu et Camilla, tout en l'écoutant, apprenait et s'efforçait de retenir leurs mœurs, pour être capable de les singer lorsqu'il s'agirait de se faire admettre par eux, ou de prendre leur place. L'argent leur était-il donc si indifférent qu'ils le prissent ainsi comme un hochet d'adulte à déposer sur des tables couvertes de pions ou de cartes ? Elle tentait de comprendre les mécanismes de cette désinvolture. Et, en observant Clélia, fille illégitime d'un cardinal, comme il y en avait tant d'autres, elle jugeait de facto que ce mépris de la monnaie s'accompagnait d'une survalorisation de l'humain. Comme il ne serait pas venu à l'esprit d'un honnête paysan de jeter son gain par les fenêtres, il n'aurait pas envisagé non plus de s'encombrer d'une bouche de plus à nourrir ; et cette asymétrie radicale des comportements participait de l'irrationalité généralisée des relations humaines.

Clélia faisait entendre pourtant, dans ce magma d'incompétence seigneuriale, une voix singulière : elle venait lui proposer une solution nouvelle. Plutôt que de la supplier comme auraient fait tant d'autres, d'annuler ses dettes par ordonnance papale, elle souhaitait soumettre à Sixte Quint l'idée d'un grand emprunt, surplombant toutes ses créances et accessible à tous les Romains, semblable à ceux déjà érigés par les papes depuis les années 1550 et qu'on nommait des *monti*, mais adapté cette fois-ci à la famille Cesarini qui mettrait ses biens fonciers en gage de son remboursement.

Camilla la regardait déplier ses notes, présenter ses schémas et elle était stupéfaite de l'ingéniosité de Clélia, qui continuait d'exposer son système, passionnée : elle contracterait au nom des Cesarini un emprunt de cent mille écus, somme dont elle avait besoin pour rembourser ses créanciers les plus pressés. Le *monte* serait gagé sur les palais de Rocca Sinibalda et de Civitanova, et constitué de mille titres de cent écus, qui rapporteraient un intérêt annuel de cinq ou six pour cent à ceux qui y souscriraient ; les revenus des terres des Cesarini serviraient ainsi, administrés correctement, à rembourser les intérêts de l'emprunt, puis à l'éteindre totalement. Il faudrait, comme le faisaient les papes depuis trente ans, vendre d'abord l'emprunt en bloc à un syndicat de banquiers, en essayant d'en tirer un bénéfice. Pour ce premier *monte* baronnial, on pouvait espérer que ceux-ci se pressent et leur rivalité ferait monter les enchères. Elle proposa enfin de rendre ces titres cessibles, pour inciter les Romains à y participer, espérant un bénéfice rapide. Sa démonstration terminée, Clélia, qui s'était levée pour mieux s'exprimer, déposa devant Camilla ses schémas. Elle se rassit, heureuse d'avoir été écoutée.

Ne voulant pas s'avancer mais séduite par la clarté et la nouveauté du procédé, Camilla promit qu'elle en parlerait à son frère et engagea Clélia à assister à la pendaison des porteurs d'arquebuses devant le château Saint-Ange. Sa présence serait considérée comme un soutien au nouveau pape à qui la Curie reprochait déjà sa rigueur. Certains cardinaux, lui apprit-elle, avaient même offert quatre mille écus pour gracier les soldats, qui avaient pourtant enfreint les lois vaticanes en faisant pénétrer en ces murs des armes interdites. Tellement bouffis de leurs privilèges et persuadés de leur toute-puissance, ils osaient venir quémander à son frère la grâce de ces truands. « Jamais, avant le sacre, la peine capitale n'avait été exécutée », affirmaient-ils tous, pleurnichant en baisant l'anneau papal. Ce pontificat, certifia fermement Camilla, découvrant des dents déchaussées et grises, ne serait pas le règne d'un Farnèse ou d'un Médicis, mais celui d'un Peretti, fils de pêcheur, intransigeant et juste.

Ainsi, un matin d'avril, on vit Clélia sortir de son palais, accompagnée de Giuliano, et suivre la route empruntée par les criminels jusqu'au pont Saint-Ange. Les inculpés marchaient derrière un grand crucifix drapé d'un rideau noir, suivis d'une confrérie d'hommes, le visage masqué de toile brune. Des moines prêchaient les bandits et leur faisaient sans cesse baiser une représentation de Jésus, à la fois pour les contraindre à la repentance et pour éviter que leurs visages ne soient vus par les badauds. Ils s'immobilisèrent face à la potence, constituée d'une poutre entre deux appuis. Les moines forcèrent les condamnés à baiser l'image du Christ jusqu'à ce qu'ils fussent installés. Après la strangulation, leurs corps furent détachés et laissés suspendus au pont Saint-Ange, afin que les Romains prennent conscience qu'un temps nouveau avait commencé.

Pendant la cérémonie, qui écœura Clélia, elle remarqua que son fils comptait les secondes qui faisaient passer les criminels de la vie au trépas. Quand il atteignit le chiffre dix-sept, il poussa un petit cri de joie. Il avait parié sur le temps que mettraient les pendus à mourir et était visiblement heureux d'avoir gagné. Clélia était effarée.

Le lendemain eut lieu la cérémonie du *possesso*, à laquelle tous les cardinaux participèrent, Farnèse et Médicis en première ligne. Sixte Quint processionna, revêtu d'une robe pontificale. Ce fut son unique concession aux traditions protocolaires.

Au cours de ces quelques mois où toute la chrétienté vint rendre hommage au nouveau pape, Alessandro Farnèse et Ferdinando de Médicis ne se quittèrent pas, laissant à Clélia un répit avant de déterminer son avenir. Elle en profita pour se rendre chez Camilla le plus souvent possible, accompagnée de Giuliano, qui courait immédiatement jouer avec le petit don Michele, qui venait d'être nommé capitaine de la garde pontificale. Il n'était pas rare de découvrir qu'ils avaient construit sur le plancher un château fort ennemi à attaquer puis l'avaient détruit dans une joie sauvage.

Chaque fois que Clélia et Giuliano se rendaient dans ce quartier éloigné du Quirinal, ils y remarquaient de nouveaux changements. Les rues étaient nettoyées deux fois par semaine, des échafaudages s'érigeaient partout, des ouvriers, des artisans, des peintres renommés même, prenaient le chemin de l'est de Rome et de la colline du Quirinal pour décorer les nouveaux palais car dès son élection, le pape avait proposé des avantages substantiels à ceux qui accepteraient de s'établir là, et mieux, il accorda la qualité de citoyen romain aux étrangers qui s'y installeraient.

Sixte Quint prit une autre mesure qui devait occuper les meilleurs ingénieurs de la ville pendant deux ans au moins. Il désirait construire un nouvel aqueduc qu'il appellerait de son prénom : l'Acqua Felice. Ferdinando fut nommé surintendant, en charge de sa construction.

Clélia devait agir avant l'été car elle savait qu'alors son père, déchargé de ses tâches curiales, se préoccuperait de lui trouver un nouvel époux pour l'éloigner définitivement de Rome. Elle manquait de temps, mais non de courage, et Camilla lui promit la réalisation de cet emprunt, le premier réservé à une famille particulière, dès le mois de juin. Le pape Sixte Quint avait toutefois émis une condition à la mise en place du *monte*. Il imposait à Clélia de l'organiser avec une banque génoise, ce qui lui permettrait d'amoindrir la puissance que les Médicis entendaient par son élection imposer à Rome. Clélia perçut ce qu'elle risquait en acceptant cet accord et la trahison qu'il représenterait pour son amant mais, refusant de laisser l'héritage de son fils criblé de dettes, elle signa le contrat. En contrepartie, Camilla accepta d'envisager un mariage entre sa petite-nièce, Flavia, qui venait d'avoir onze ans, et Giuliano. Elle ajouta tout de même, pour que Clélia prenne la mesure de ce que cette proposition avait de prestigieux, que la petite était déjà très sollicitée, ayant reçu une proposition du prince héritier de Parme, Ranuccio Farnèse, le fils d'Ottavio, oncle de Clélia.

Mais Clélia souligna les bénéfices que leurs deux familles pourraient tirer d'un mariage commun et rappela à Camilla que Sixte Quint était déjà leur protecteur en sa qualité d'exécuteur testamentaire de son défunt mari.

– L'alliance avec une famille antique d'Italie assiérait votre pouvoir sur la Curie.

Camilla acquiesça et, se levant pour signifier à Clélia que l'entretien prenait fin, elle conclut que la mise en place du *monte* Cesarini devait rester sa priorité afin que l'honneur financier de sa famille ne soit plus en cause. D'un ton doux, elle ajouta que Clélia devait davantage prendre soin de son image publique :

– Les *pasquinate* ne sont pas tendres avec vous. Je me charge des négociations avec mon frère, mais de grâce, faites en sorte que nul n'ose plus vous qualifier de « mule Farnèse ». C'est indigne. Soignez vos relations, ma chère.

Pour répondre à cette préoccupation légitime de la sœur

du pape, Clélia choisit de s'exiler quelque temps à Rocca Sinibalda avec Giuliano et Ascanio pour manifester son éloignement de Rome et donc de Médicis. Ce départ subit déchaîna bien entendu les *avvisi* qui, depuis quatorze ans, ne manquaient pas de commenter les moindres gestes de Clélia.

Avviso, 3 juillet 1585

Rome aurait été privée d'une partie de ce qu'elle compte de mieux en termes de Vénus et d'Amour. Clélia se serait retirée dans un de ses châteaux, à quarante milles des yeux qui l'aiment.

Médicis n'était pas nommé, mais la référence n'échapperait à personne.

24

Lorsque Clélia revint à Rome en septembre, l'emprunt était lancé et les Romains se l'arrachaient, ce qui n'empêchait pas la famille Farnèse d'assaillir la jeune veuve de suppliques et de menaces.

Alessandro avait dépêché sa sœur Vittoria pour la convaincre de s'installer chez elle à Urbino, au calme de la mer Adriatique, loin des affaires romaines, le temps de décider de son avenir. « Non merci », avait aimablement répondu Clélia. Ses cousins Francesco Maria et Valerio intervinrent à leur tour en écrivant à Clélia pour la prier de ne pas prêter le flanc aux racontars et de se soumettre à la volonté de son père. À ceux-là aussi, Clélia opposa une fin de non-recevoir et poursuivit sans relâche sa tentative de marier son fils à la petite-nièce du pape, Flavia Peretti.

Camilla lui donnait de bons espoirs, mais les cent mille écus de dot offerts par Sixte Quint attiraient des concurrents sérieux. Un *avviso* la terrassa.

Avviso, 9 novembre 1585

Dans les pratiques de cette ville, il n'est pas toujours vrai que les effets de l'amour l'emportent sur tous les autres intérêts qui tyrannisent le cœur des hommes. On en voit la preuve dans les machinations ourdies par un cardinal du Sacré Collège qui s'efforce de contrecarrer les liens de parenté que l'on croit être en train de se nouer entre le seigneur Giuliano Cesarini et la petite-nièce du pape, afin de faire place au fils du seigneur Paolo Giordano Orsini, grâce à une manœuvre qui efface complètement les torts passés et présents, ce dont se plaint justement l'offensé.

Mais nous sommes d'avis que l'Archimède de ces manigances trouvera un nouveau Marcellus qui restituera son bien au seigneur Giuliano, parce qu'on le voit souvent avec don Michele, petit-neveu du pape, à table avec Sa Béatitude.

Le *menante* lui-même, qui hier la vouait aux gémonies, semblait avoir plus de cœur que son amant. Clélia reposa la gazette, navrée. Son oncle, sans doute soutenu par son père, proposait un candidat, et maintenant Médicis – car il était bien ce cardinal du Sacré Collège dont le *menante* relatait les actions – la trahissait à son tour. Aucun des deux n'avait un soupçon d'égard pour son fils. Toutes ces années passées à lutter ensemble ou les uns contre les autres aboutiraient à cela : une banale cabale de fiançailles.

Elle courut voir son fils, « l'offensé » qui, selon le *menante*, s'était plaint de ces manœuvres. Celui-ci, du haut de sa jeunesse, tranquillisa sa mère : il l'assura qu'elle n'avait plus à s'en faire et qu'il prenait désormais en main les rênes de son destin. Il la remerciait de tout ce qu'elle avait accompli pour lui. Il n'avait plus besoin d'elle à Rome désormais. Sa présence même, ajoutait-il, pouvait lui être nuisible. N'avait-elle pas vu que Ferdinando avait de nouveau reproduit et exhibé sa *Pêche au corail* ? Clélia eut l'impression de vivre un cauchemar. Son propre fils la congédiait. Lui aussi, elle le gênait dans ses négociations. Il n'avait pas quatorze ans.

Costanza l'interrompit dans ses amères réflexions. Lorsque la belle marquise pénétra dans le salon, elle resplendissait. Son collier assorti au vert émeraude des crevés de sa robe, ses cheveux blond vénitien retombant négligemment sur son front en boucles vaporeuses offraient d'elle un portrait qui ne laissait pas imaginer les déboires politiques que son mari Giacomo Boncompagni, fils du pape défunt, venait de subir. Elle se rendait chez son amie pour la féliciter de la réussite de son *monte* Cesarini et s'entretenir avec elle de la possible création d'un autre emprunt, au nom de la famille de son mari cette fois. Le désarroi dans lequel elle trouva Clélia déplaça la conversation.

Après s'être fait conter l'affaire, Costanza refusa de croire que Médicis pût obtenir gain de cause. Non seulement l'exhibition de ce tableau le rendait plus ridicule qu'autre chose, mais surtout, le fait qu'il ait choisi Virginio Orsini, le rejeton de sa sœur, comme candidat à opposer à Giuliano lui semblait inconvenant.

– Pourquoi le pape choisirait-il, plutôt que son protégé qui dîne une fois par semaine à sa table, le fruit de l'union entre Isabella de Médicis et l'horrible Paolo Giordano Orsini ? D'autant qu'il l'a banni de Rome deux jours après son élection. J'ai même entendu dire que cet imbécile de Paolo Giordano, cherchant à se réfugier à Venise, avait réussi à fâcher les doges eux-mêmes qui, malgré la tentation plaisante de narguer le pape, lui ont fermé leur porte. Non, il faut être fou pour imaginer Sixte Quint mariant Flavia avec le fils de l'assassin de son neveu.

Clélia se laissa convaincre, mais le mois suivant, une nouvelle changea la donne : Paolo Giordano Orsini venait d'être assassiné. La rumeur affirmait que les Médicis étaient à l'origine de ce règlement de comptes, souhaitant par ce meurtre réparer définitivement l'affront fait au pape par ce bandit d'Orsini. Virginio Orsini, le prétendant de Flavia, se retrouvait ainsi lavé de tout soupçon de bienveillance envers les actes de son père. En somme, un prétendant tout à fait acceptable.

Clélia dut s'y résoudre. Il lui fallait retourner au Pavillon des oiseaux demander des éclaircissements au cardinal. Elle enfila une cape sombre, respectant encore le deuil de son mari, masqua son visage sous un capuchon et monta dans son carrosse, lui-même drapé de noir, dont elle tira les rideaux de peur de se voir invectivée par des passants. Car le peuple souffrait, en cette première année du pontificat de Sixte Quint. Le pape, pour accomplir ses réformes, avait été obligé d'augmenter encore les impôts, à commencer par ceux pris aux plus riches sur les coches, les carrosses, les étoffes, les draps, les cuirs et les peaux. Ces rentrées d'argent ne suffisant pas, les prélèvements supplémentaires avaient affecté l'ensemble des citoyens, le sel, les contrats, le bois de chauffage, les poids et les mesures, et même les cartes à jouer et le vin. L'emprunt Cesarini, parce qu'il ne profitait qu'à la famille elle-même, ne tarda pas à devenir impopulaire, le peuple se plaignant de ce que l'État inventât toujours des solutions avantageuses pour les nantis, laissant les pauvres mourir de faim ou croupir en prison pour dettes. Ainsi n'était-il pas rare désormais que les carrosses des grandes familles fussent malmenés en ville.

Après un trajet agité où Clélia subit les crachats et les insultes lancés au passage de son carrosse, elle parvint effondrée devant la porte dérobée du Pavillon des oiseaux dans lequel elle pénétra, vérifiant qu'elle n'avait pas été suivie. Quand bien même aurait-elle aperçu, entre les branches des pins bordant la villa, les yeux sombres du *menante*, qu'aurait-elle fait ? Elle ne pouvait lutter contre la rumeur, plus forte que les armes, plus rapide que le vent, puissante et intouchable. Elle monta les escaliers étroits qui menaient directement dans le Pavillon et attendit Ferdinando.

Il arriva, furieux. Le pape lui reprochait une fraude dans l'administration de l'aqueduc de l'Acqua Felice, laissant supposer que Médicis s'enrichissait aux dépens du Vatican. Ferdinando devait faire réaliser une étude pour prouver sa bonne foi, et l'idée même qu'on ait pu le calomnier auprès du pape déchaînait sa colère. Ayant épuisé ses plaintes, Ferdinando se rua sur Clélia et défit son corsage avant qu'elle n'ait eu le temps de prononcer une parole. Depuis leur premier rendez-vous ici, il avait bien changé. Son corps s'était épaissi sans se fortifier pour autant, son visage s'était arrondi et les attaques de goutte, qu'il tenait en héritage de sa famille, le faisaient déjà souffrir, à trente-sept ans à peine, si bien que parfois, il devait se munir d'une canne.

Clélia tenta de le repousser, mais la force qu'elle mettait dans ses mouvements multipliait celle de son amant qui la plaqua contre le mur, à l'endroit même où le couple avait connu ses premiers émois, dans ce pavillon aux murs encore blanchis par la chaux. Les parois aujourd'hui resplendissaient de plantes exotiques, d'oiseaux rares, de treillages verdoyants, mais les cœurs des amants n'étaient plus allumés par la flamme de passion qui les avait transportés alors. Clélia n'avait aucune envie de ce qui ne manquerait pas de se produire quand même. Elle serrait les jambes, protégeait son visage des baisers de son amant, que ses refus excitaient plus encore.

Elle aussi voulait lui résister ? Elle allait voir ce dont un cardinal était capable. Et, envoyant sa canne au loin, comme si les rebuffades de sa maîtresse rendaient son corps plus solide, il la jeta sur la causeuse aux doux coussins de soie, releva ses jupons, immobilisa ses jambes qui se débattaient encore et accomplit enfin ce pour quoi il l'avait rejointe. Clélia cessa de lutter. Une fois son plaisir atteint, Médicis s'effondra dans le fauteuil qui faisait face à la causeuse, sans mot dire, l'œil béat de l'homme rassasié. Puis, il se releva et vint caresser le menton de Clélia.

– C'est bien aussi, quand tu résistes, lui dit-il un sourire au coin des lèvres, il faudra y repenser. Mes forces se décuplent. J'aime ça. Merci.

Clélia le regarda, interloquée. Ce qu'elle avait subi comme une agression avait donc été vécu par son amant comme un jeu amoureux…

– Y repenser ? cria-t-elle en se relevant et en défroissant sa robe, furieuse. Tu crois donc que je jouais ? Pour qui me prends-tu ? Ridicule petit cardinal, petit frère du grand-duc qui va pleurer dans ses chausses lorsqu'il a besoin d'aide puis s'en court violer sa maîtresse. Mais tu t'entends, Ferdinando ?

Il haussa les épaules. Il avait envie de la repousser dans sa causeuse, là, à l'instant, pour la faire taire, mais elle continua.

– Oui, peut-être que je joue, mais sans me divertir alors. Je joue la survie de ma famille, alors que toi, tu badines, avec moi, avec le pape, de tout… Comment as-tu pu oser ? Comment as-tu pu proposer le petit Orsini en candidat pour épouser Flavia ?

Ferdinando s'était relevé et s'approchait de Clélia pour tenter d'apaiser sa colère par des caresses.

– Écarte-toi, lui dit-elle d'un ton qui n'admettait aucune contradiction. Tu me dégoûtes.

– Je t'aime, tenta-t-il, s'approchant toujours. Tu le sais. Depuis toutes ces années, j'attire ton attention, je te taquine, je te protège, contre ceux, et ils sont nombreux, qui cherchent à te nuire. Malgré toi, parfois. Tu t'emportes, mais cela ne mène à rien. C'est comme cet emprunt que tu as arraché au pape… Que ne m'as-tu demandé, à moi, de rembourser tes dettes ? Tu ne me fais donc aucune confiance ? Tu te jettes dans les bras d'un pape dont tu ne peux imaginer la perfidie… Crois-tu vraiment qu'il t'ait laissée ouvrir cet emprunt pour tes beaux yeux ou pour « sauver l'honneur » des Cesarini ? Il n'en a cure, ma pauvre. Et Giuliano pourra dîner à sa table autant de fois qu'il le voudra que cela n'y changera rien. C'est un monstre que j'ai nommé au pouvoir.

– Vous êtes deux, alors, répondit Clélia.

Médicis laissa dire et reprit :

– Mon amour, il faut que tu m'écoutes. N'ai-je pas toujours agi pour le bien de ta famille ? Ne t'ai-je pas toujours épaulée ? N'avons-nous pas formé, avec Giovan Giorgio, le plus brillant trio qui ait jamais existé ? Crois-tu que je te ferais sciemment du mal ?

– Tu as bien commandé à Zucchi une nouvelle copie de cette affreuse *Pêche au corail*…

– Ce n'était que pour rappeler à tous la protection dont tu fais l'objet de ma part.

– Et Orsini ? C'est aussi ce que tu appelles une protection ?

– Ça, c'est autre chose. Je n'ai pas pu lutter contre la volonté de mon frère qui avait déjà vu d'un mauvais œil la préséance accordée aux Génois dans la gestion des biens financiers de l'Église. Tu en es partiellement responsable d'ailleurs. Et Francesco n'a rien voulu entendre. Pour ferrer le pape, il commande une alliance de nos deux familles.

– Au détriment de la mienne…

– Au nom des Médicis. Ne l'oublie jamais, Clélia. Je suis un Médicis.

Clélia se leva, elle n'avait pas besoin d'en entendre davantage. Ferdinando fit un geste pour la raccompagner, elle le repoussa.

– Et moi, déclara-t-elle distinctement avant de s'échapper par l'escalier dérobé pour rejoindre son carrosse, je suis une Farnèse.

25

Avviso, 6 juin 1587

[…]

Ils disent que pour exclure le seigneur Giuliano, il s'est fait et se fait encore contre la signora Clélia de très méchantes manœuvres avec le cardinal Peretti (frère de Flavia, la petite-nièce du pape), de la part de gens qui ne devraient peut-être pas lui attribuer la réputation qu'ils lui font. Et selon mes informateurs, qui sont des gens influents, le cardinal Farnèse veut éliminer cette tache aux yeux du pape et essaie toujours de marier sa fille.

[…]

Non seulement Médicis imposait progressivement son candidat, mais de surcroît, Clélia s'en doutait depuis le début : son propre père, le Grand Cardinal, se liguait contre elle pour obtenir, sinon son consentement, du moins sa résignation à se remarier. Tenait-il donc tant à recouvrer la dot qu'il avait accordée aux Cesarini pour vouloir à tout prix la remarier ? Se la réapproprier. Voilà son objectif. Quelle hauteur de vues, songeait Clélia, seule dans sa chambre de son palais du Largo di Torre Argentina.

Elle n'avait plus de forces dans ce jeu de dupes où seuls les hommes menaient la danse. Aller se plaindre auprès de Camilla ne servirait à rien. La sœur du pape ne la recevait plus depuis que de nouvelles préoccupations l'accaparaient. Enhardies par la prouesse de Clélia et les performances du *monte* Cesarini, toutes les grandes familles romaines frappaient à sa porte, ayant compris de l'expérience de Clélia que la vieille femme s'intéressait aux finances. Et, pour se faire bien voir, sans imaginer que celle-ci pourrait finalement profiter de la situation, chacun leva un emprunt à son nom : on vit ainsi se créer, durant ces deux années, le *monte* Muti, puis le *monte* Colonna, le *monte* Boncompagni, le *monte* Orsini, et même le *monte* Farnèse, non cessible celui-là. Nul ne voulait rester extérieur au nouveau jeu romain qui consistait à étaler ses richesses sur la place publique pour en retirer des bénéfices tout en remboursant ses dettes. La paternité de l'idée ne fut bien entendu jamais attribuée à Clélia, ni même à Camilla ; Sixte Quint, qui pourtant ne s'intéressait à l'affaire que de loin, plus préoccupé qu'il était d'ingénierie et de modernisme, fut célébré comme un grand novateur.

Les baronnies romaines ne s'avisaient pas qu'en signant ces *monti*, c'était leur propre tombe qu'elles creusaient et qu'un jour proche, leurs héritiers, contraints de vendre terres et palais pour rembourser leurs créanciers, finiraient par céder leur place à de nouveaux venus. La fin de leur règne, et de la Renaissance tout entière, s'approchait, inexorable ; et ils continuaient à se rouler dans la débauche et le luxe. Or Camilla Peretti, elle, en négociant ces emprunts, savait ; et s'appropriait ce qu'elle pouvait : aux Massini, elle acheta le domaine de la Torre in Preda dans la campagne du Latium, au duc de Mantoue, les marquisats d'Incisa et le comté de Calusio, aux Orsini, les villes de Venafro, de Piscina et le comté de Colmo, dans le royaume de Naples. C'était là amorcer une entreprise de remplacement des familles de la noblesse antique et leur imposer même une altération de leur mode de vie. Camilla souffla ainsi à son frère de consentir un prêt du Vatican de quatre cent mille écus au cardinal Colonna, à condition que celui-ci réduisît sa cour de cent soixante-dix à cinquante bouches et qu'il promît de ne pas dépenser plus de douze mille écus par an. Un Colonna, issu d'une lignée qui régnait sur Rome depuis au moins cinq siècles ! Et c'était un Peretti qui le pressait de respecter de telles conditions ! Une nouvelle ère s'ouvrait, et Sixte Quint imprimait un tournant dans le monde.

Alors que Clélia arrangeait les bibelots de sa bibliothèque, une feuille de mauvais papier glissa à terre. Elle reconnut le portrait qu'un jeune peintre avait fait d'elle quinze ans plut tôt dans une taverne sur le chemin de Caprarola à Rome. Elle s'observa longuement. Dans les yeux de cette jeune fille, elle voyait de la lassitude, déjà, mais de la résignation, point. Elle devait continuer à lutter. Et si elle ne pouvait plus faire confiance ni à son père, ni à son amant, elle n'avait d'autre choix que de se fier à elle-même, et à l'espoir qui brillait dans les yeux de cette Clélia d'à peine quatorze ans.

Alors, à vingt-huit ans, exténuée par tant d'années de lutte, Clélia retourna dans le monde. Elle n'était certes plus une jeune première, ni l'étoile montante des carnets mondains, mais, à son apparition, les voix se taisaient, chacun attendant un salut, un regard de cette reine d'hier et pourtant incontestée, paradoxe vivant d'une Renaissance moribonde.

On murmura bientôt avec des sourires entendus que Clélia souffrait de nausées, ce fut la rumeur de trop.

26

Lorsque son chambellan lui annonça la présence d'un soldat en armes revêtu du blason des Farnèse de Parme, Clélia parut au salon, bien décidée à ne rien céder aux demandes que sa famille ne manquerait pas de lui transmettre par cet intermédiaire. Elle n'en eut pas l'occasion. Soulevant sa cape, le soldat lui désigna son épée et lui fit signe de la suivre. Il se contenta de lui affirmer qu'ainsi, elle respecterait la volonté de son oncle et de son père. Clélia ne fit pas de résistance. Son fils, qui rentrait tout juste d'une nuit agitée à la taverne, passa devant elle sans prononcer un mot. Clélia était seule, une fois de plus. Elle enfila ses gants, emboîta le pas de son bourreau et quitta son palais.

Quand ils passèrent la porte Flaminia, au nord de Rome, et qu'ils s'engagèrent sur une route de campagne, Clélia comprit. Il était trop tard. Elle était déjà en route pour Caprarola.

27

L'enlèvement de Clélia fut amplement commenté par les *menanti*. Chacun loua sa beauté, « belle comme le soleil est plus beau que toutes les étoiles », tous compatirent aux malheurs de la signora Farnèse dont la disparition laissait la ville « inconsolable ». Cette versatilité des *menanti* ne la surprit même plus. Traînée dans la boue de la calomnie et des insinuations dégradantes pendant plus de quinze ans, la voilà qui devenait soudain choyée. Ils s'apitoyaient et s'appliquaient à relever l'honneur de celle qu'hier, ils écrasaient. Ainsi va le monde et la rumeur enfla si bien qu'à Florence, on écrivit :

C'est à cause du cardinal Médicis que la signora Clélia a été conduite à Caprarola, et on raconte que le seigneur Farnèse duc de Parme – le frère du Grand Cardinal – veut qu'elle aille à Parme.

J'ai entendu que le grand-duc Francesco de Médicis a parlé très librement du cas de cette dame et qu'il a témoigné, à ce qu'on dit, de la satisfaction pour cette mesure, à la fois pour éloigner son frère d'un danger, et parce qu'il est bon pour les malheureux en amour d'avoir des compagnons de misère.

À Rome, les *menanti* accusèrent plutôt le pape, dont le Grand Cardinal aurait obtenu l'accord avant l'enlèvement de sa fille :

Dieu nous garde de ce qu'on raconte. Sixte Quint, avec qui on en parla le jour même, concéda que la signora Clélia fût emmenée par tous les moyens. Et si les Farnèse n'en avaient pas pris leur parti, elle aurait été arrachée de son palais par la force, avec le risque de mettre Rome sens dessus dessous.

Lorsqu'elle vit Vittoria qui l'attendait à la porte du château de Caprarola où l'on s'apprêtait à l'enfermer, Clélia tomba pourtant dans les bras de cette tante si lâche. Toutes les femmes n'étaient pas nées en colère, elle ne pouvait lui reprocher son conformisme docile.

– Ma tante, je suis enceinte, avoua Clélia.

– Je le sais, mon enfant. Pourquoi crois-tu que tout cela ait été organisé ?

Elle ouvrit les bras et montra avec indifférence les murs de la forteresse.

– Nous le savons. Tout le monde est au courant. Nous allons t'aider, nous sommes là pour toi.

Dans ces mots de protection, Clélia n'entendait que des menaces déguisées.

– Je ne veux pas rester ici, s'effondra-t-elle. Permettez-moi au moins d'aller ailleurs. J'étouffe dans ce château.

Vittoria la rassura, et s'acheminant tout de même vers la chambre de l'Aurore, elle guida sa nièce jusque dans son lit.

– Repose-toi. Tes effets arrivent ce soir pour éviter les rumeurs. On dira que tu viens ici prendre tes quartiers d'été, voilà tout. Fais-moi confiance.

Et Clélia s'endormit d'un sommeil plein de cauchemars où sa tante et son père prenaient l'aspect de serpents affamés de son sang, attendant le pourrissement de ses bébés pour se rassasier entièrement.

Ils étaient tous responsables, tous coupables de cet enlèvement : son père qui voulait lui imposer d'épouser le marquis de Sassuolo, un certain Marco Pio de Savoie de dix ans son cadet, lequel la condamnerait à vivre dans son bourg qu'elle pressentait mortifère ; son oncle, le duc de Parme, à qui elle avait fait confiance en partageant avec lui ses doutes sur la conduite de son père et qui l'avait rançonnée de sa confession en envoyant son capitaine d'armée accomplir son rapt ; son fils qui n'avait pas même essayé d'intervenir ; son amant qui, probablement au courant, s'en était lavé les mains ; et enfin Vittoria qui, malgré toute sa bonté, refusait de se révolter à ses côtés.

Lorsqu'elle se réveilla, Vittoria la veillait toujours, de son regard à la fois charitable et sévère, engoncée dans ses croyances et dans ses traditions.

– Je ne veux pas de cet enfant. Ou alors, si, dit-elle dans un semi-délire, et je le veux avec Ferdinando. Il va m'épouser.

Elle reposa sa tête sur son oreiller et rit follement.

Elle divague, songea sa tante, qui, sortant avec précaution de la chambre, fit appeler le docteur. Une fièvre ne tarda pas à se déclarer, au cours de laquelle Clélia alterna entre lamentations contre le ciel et adoration de Dieu, entre des pleurs si violents et soudains qu'ils en coupaient sa respiration et des fous rires de ravissement où elle appelait de ses vœux une union avec Ferdinando. La nuit, les crises étaient plus vives encore, il n'était pas rare de retrouver Clélia au petit matin, la tête écrasée contre le sol, les poings serrés contre son ventre, comme si elle avait lutté toute la nuit pour extraire cette progéniture de son corps.

– Je hais les Farnèse, je hais les Médicis, entendait-on parfois.

Le docteur recommanda beaucoup de calme, quelques décoctions de tilleul en alternance avec du houblon pour calmer les angoisses de la patiente. Son état ne laissait cependant pas supposer que l'enfant à naître survive, affirma-t-il. Une fausse couche naturelle surviendrait bientôt pour réparer l'outrage, il en assurait la tante Vittoria. En habitué des pratiques des nobles familles qui s'offusquent en public, mais agissent en sous-main, il laissa tout de même un peu d'hellébore noir, de pulpe de coloquinte, de concombre sauvage et de férule gommeuse, ajoutant qu'il apporterait de la myrrhe et de la poix liquide la fois suivante et recommandant à Vittoria de se garder, sous peine de châtiment éternel, de considérer ces breuvages comme les auxiliaires d'une fausse couche, qui ne saurait tarder.

La tante de Clélia opina gravement et reconduisit le docteur jusqu'au perron, lui glissant une invitation à dîner au château en compagnie du Grand Cardinal, en guise de remerciements.

Farnèse finit en effet par rejoindre sa fille à Caprarola, alarmé des mauvaises nouvelles dont l'accablait sa sœur, honteux peut-être aussi de la violence de ce rapt organisé contre sa propre fille et auquel il avait été contraint.

Lorsqu'il arriva, il fit installer une représentation d'une vue du duché d'Urbino dans la chambre où reposait Clélia, aux murs déjà couverts de fresques en trompe-l'œil et d'un Mercure chassant la lune pour laisser resplendir le soleil. S'approchant de son lit, il posa une main douce sur l'épaule de sa fille, ignorant les roulements d'yeux effarés qu'elle jetait vers lui, et d'une voix calme, comme une mélopée, il lui parla longuement, l'incitant à se laisser porter par la contemplation des paysages peints.

– La vue de ces sources, de ces ruisseaux, de ces champs, lui dit-il doucement, aidera à vous guérir du mal qui vous oppresse.

Clélia tournait un visage résigné vers le tableau, réduite à écouter ce père qui l'avait tant malmenée, et qui poursuivait, d'une voix de confesseur :

– Vous pouvez faire l'expérience suivante : les nuits où

le sommeil vous fuit, efforcez-vous, du fond de votre lit, de vous remémorer les eaux limpides des sources, des rivières ou des lacs que vous aurez vus. Aussitôt, vos veilles arides seront baignées de fraîcheur, et le sommeil s'insinuera en vous jusqu'à ce que vous vous endormiez doucement.

Clélia se laissa bercer par cette voix souple et liante, par le contact de la main de son père sur son bras, par l'histoire qu'il lui racontait, et elle s'endormit à moitié, retournant en rêve dans le château de son enfance lorsque parfois, sa tante ou Alessandro lui-même venaient la rassurer de ses angoisses nocturnes. Petite fille, elle faisait souvent le même cauchemar : elle voyait une femme, au loin, lueur imprécise, qui s'envolait vers les cieux et elle essayait de l'y rejoindre, mais ne pouvait bouger de son lit, comme retenue à son matelas par des liens imaginaires.

Alessandro et Vittoria savaient bien ce que ce rêve signifiait, un nouveau-né arraché à sa mère, qui ne pourrait jamais plus la rejoindre… Mais ils se gardaient de l'éclairer, préférant la consoler en évoquant l'Assomption de Marie, entourée d'anges bienfaisants, et ses retrouvailles au Ciel avec son fils Jésus, l'assurant que si elle aussi vivait en bonne chrétienne toute sa vie, elle pourrait rejoindre le Christ dans la suivante.

Clélia avait toujours été vive et autrefois, dans le château béni d'Urbino, nul ne songeait à le lui reprocher ; on l'applaudissait plutôt lorsqu'elle récitait le Tasse en faisant la roue au milieu des cris de joie et des rires de ses cousins. Elle avait l'impression de revivre aujourd'hui ces jeux de l'enfance, au fond de ce lit de la chambre de l'Aurore, entourée qu'elle était de son père et de sa tante. Dans ses souvenirs, le vert des prés environnant le château d'Urbino l'éblouissait, et elle s'endormait, tenant la main de son père. Brusquement pourtant, elle se réveillait, repensant à la rebelle Lavinia, sa cousine, qui lui avait été arrachée le jour de son mariage alors qu'elle n'avait pas sept ans, ou encore à son cousin, Francesco Maria, parti épouser une vieille Espagnole. Et, songeant à ces pertes, elle s'effondrait de nouveau, se rappelant que pour son futur mari, ce Marco Pio que son père lui avait choisi, ce serait elle la vieille femme, elle avait dix ans de plus que lui. Imaginer seulement une nouvelle nuit de noces, après ce qu'elle avait vécu, lui semblait inconcevable. Elle voulait simplement s'éloigner du monde et des hommes.

Son père alors reprenait patiemment ses propos apaisants sur la peinture, lui citant maintenant ce que Léonard de Vinci avait un jour dit à ses aïeux, comparant l'art pictural et poétique :

– Si le peintre, durant les rudes hivers, place devant vous les mêmes paysages peints dans lesquels vous avez pris du plaisir, auprès d'une fontaine, sous le doux ombrage de plantes verdoyantes, cela ne vous donnera-t-il pas plus de plaisir que d'écouter la description de cette scène par un poète ? Voilà ce que disait le grand Léonard : ne pensez pas aux mots, vivez les sensations. Ressourcezvous, ma fille, dans les merveilles de la peinture, n'oubliez jamais qui vous êtes et d'où vous venez.

Sans s'en douter, son père, par la description de ces paysages enchanteurs, avait fait voyager Clélia dans les jardins de la villa Médicis, sous l'ombre du pin de Lucullus où Ferdinando et elle avaient l'habitude de venir se reposer de l'agitation romaine. Et elle songeait à cet enfant, en train de grandir dans son ventre, dont elle ne sentait pas encore les mouvements mais qui, par sa présence, lui rappelait son amant. Lui aussi, s'il naissait, serait illégitime. Elle en serait la mère et elle connaissait le traitement réservé par les hommes à ces mères naturelles. Rendre son enfant ou mourir. Elle préférait périr tout de suite, avant même sa naissance. Jamais elle ne subirait ce que sa propre mère avait été tenue d'accepter. Jamais un enfant né de sa chair ne lui serait enlevé. Et en prononçant intérieurement cette promesse, elle comprit sa détresse actuelle.

Sa peur ne venait pas tant de cet enfant qu'elle portait, mais de l'enlèvement dont elle avait été victime. Le deuxième depuis sa naissance. Organisé par le même commanditaire. Était-ce le résultat de son amour fou, ou d'une aliénation de son entendement ? Comptait-il tout résoudre par un rapt ? Se rêvait-il la nuit en Jupiter, et voyait-il les femmes en Europe, prêtes à se faire enlever par ce taureau Farnèse, dont la statue monumentale trônait dans la cour de son palais romain ?

Cette pensée provoqua chez Clélia un sursaut de lucidité. Elle devait céder. Elle n'avait pas le choix. Cet homme était prêt à tout. Il la tuerait sûrement de ses propres mains si elle continuait à lui résister. Et elle fit comme elle espéra qu'agit alors sa mère, trente ans auparavant. Elle céda, et laissa Alessandro annoncer son mariage en grande pompe pour le 2 août suivant, une date conçue pour prévenir le mal si le bébé venait tout de même à naître, de sorte qu'on puisse le faire passer pour celui de son nouvel époux légitime.

Les *avvisi* applaudirent à cette résolution, célébrant pour Clélia la fin de ce mois « passé à ne faire que pleurer et récriminer contre le ciel ». Son renoncement en tranquillisait plus d'un. Sixte Quint, qui était pourtant l'un des exécuteurs du testament de Cesarini, ne fit aucun obstacle au Grand Cardinal pour que celui-ci récupère la garde de son petit-fils, ainsi que la part de la dot de Clélia qui lui était due. Médicis, l'autre exécuteur, se rallia au pape et à Farnèse, abandonnant Clélia à son sort. Les rumeurs qui persistaient au sujet de cet enfant à naître menaçaient la stabilité de sa position à Rome et surtout infirmaient la posture morale qu'il arborait vis-à-vis de son frère le grand-duc de Toscane pour refuser la validité de son mariage avec Bianca Cappello. Il ne pouvait donc se charger d'un enfant de Clélia et, en trahissant le testament de son ami Cesarini, se déliait de leur destin commun.

Le second mariage de Clélia, miroir difforme tendu au premier, sembla confirmer l'intuition selon laquelle l'histoire se répète toujours deux fois.

II

28

Alessandro tint cette fois-ci à célébrer lui-même les noces de sa fille avec le marquis Marco Pio de Savoie, ce qu'il avait refusé pour son mariage avec Cesarini. Par sa présence seule, il signifiait sa victoire écrasante sur la volonté de Clélia. Il invita tous les membres de sa famille, ainsi que les sommités romaines à assister à cette union somptueuse, dans son palais de Caprarola. Seul Médicis déclina.

Ce fut l'occasion pour Clélia de revoir ses cousins Della Rovere, mais aussi et surtout son fils, resté à Rome sous la vigilance de ses précepteurs et des nombreux domestiques du palais. Il fut accueilli à Caprarola en petit-fils prodigue par son grand-père, sous la tutelle de qui il retombait à cause du mariage de sa mère. Dans le même temps, le Grand Cardinal avait veillé à ce que le jeune Ascanio, bâtard de Cesarini, fût placé dans un séminaire dont il ne sortirait que pour entrer au monastère.

Clélia rencontra son mari pour la première fois juste avant de se diriger à nouveau vers l'autel, le cœur non plus rempli d'espoir, mais liquéfié par la présence menaçante de ces êtres qui relevaient maintenant de son passé : Costanza, Camilla, ses cousins, son père, sa tante, toutes ces figures qui sortiraient de sa vie aussitôt que ce mari la conduirait au marquisat de Sassuolo. Sa jeunesse, d'abord, la fit frémir, son visage d'enfant, malgré la barbe qu'il s'escrimait à laisser pousser et qu'il taillait sans doute de près pour s'assurer qu'elle épaississe correctement. Puis elle remarqua cette nouvelle mode, à laquelle il cédait, des cheveux longs. Une toque en velours noir strié de fils d'or réhaussait un teint laiteux que nul malheur n'était encore venu ternir. Le regard pourtant trahissait une lueur de brutalité. Ce jeune homme de dix-neuf ans s'apprêtait à mener tous les combats pour s'affirmer et la conquête de Clélia en constituait la première victoire, elle dont il avait suivi toutes les aventures depuis son enfance au gré des *avvisi*. Il épousait un mythe qu'il comptait bien dompter. À l'instant où il lui prit la main, Clélia comprit qu'elle aurait à lutter contre cet homme aussi. Simplement pour survivre cette fois. À la seconde où leurs peaux se touchèrent, elle en eut la sinistre certitude.

Lui rendant sa révérence, elle marcha à ses côtés vers son père, en tenue d'apparat, resplendissant dans sa toge rouge sang. Avant la bénédiction, elle chercha son fils des yeux pour tenter de lui faire comprendre que, malgré les pompeuses apparences de la célébration, ce choix d'un jeune homme ridicule qu'on croirait en perruque n'était pas le sien, qu'elle préférerait bien mieux rester à Rome avec lui, sa seule passion. Giuliano se détourna et ne lui rendit pas son sourire, pas plus qu'il ne lui accorda sa bénédiction.

Un homme de plus en moins pour elle.

La cour ensuite s'amusa de joutes, de danses et de tournois. Le thème de l'amour fut de nouveau choisi, comme lors de cette chasse à la lionne que Médicis avait organisée pour elle, et Clélia soupçonna son père, poétisant sur la réciprocité de l'amour comme l'avait fait alors Ferdinando, de la blesser intentionnellement, sanctionnant par ce dialogue improvisé la suspension définitive de ce que Clélia avait été, et de ce qu'elle avait représenté à Rome en ce début des années 1580.

Le faste du mariage ne cessa qu'au petit matin, après une représentation théâtrale de l'âge d'or qui fut très applaudie, des jeux d'armes et des feux d'artifice à la hauteur de la démesure du Grand Cardinal. En lançant ainsi des fusées dans le ciel, Alessandro recouvrait sa place dans le jeu politique romain et affirmait à tous, à son frère en premier lieu, que Clélia n'en faisait plus partie. Comme cette poudre à canon, brillante et spectaculaire, sa fille s'éteignait avant de retomber en poussière sur le sol. Ce feu d'artifice fut, pour Alessandro, le langage de son triomphe.

Tandis que Marco Pio retournait à Sassuolo après la cérémonie, Clélia resta enfermée à Caprarola, attendant que sa famille réunisse sa dot. Désœuvrée, elle suivit les affaires romaines de loin, par le biais des *avvisi* qui arrivaient au château les mercredis et samedis. Son père la fit représenter de nouveau par Jacopo Zucchi, et le début de ce mariage ressembla à s'y méprendre aux commencements du précédent, seize ans plus tôt, chacun essayant de divertir Clélia ; ne manquait que son mari, son cher Cesarini, et surtout Médicis, pour que la reproduction fût exacte. Le trio qu'elle formait aujourd'hui avec son père et sa tante Vittoria ne s'employait pas à s'amuser de tout en ne respectant rien, mais à rassembler dans les palais Cesarini tous les bijoux et joyaux lui ayant appartenu. Solder le passé plutôt que de rêver d'avenir, ainsi se résumaient les journées de Clélia, entre deux applications d'hellébore noir et de myrrhe pour tenter d'évacuer le reliquat de sa vie d'antan.

Il fallait toutefois justifier les allées et venues du médecin des Farnèse au château, car, où que soit la belle Clélia, une chose n'avait pas changé, les *menanti* rôdaient toujours. Ainsi put-on lire dans leurs feuilles ces renseignements qui, pour n'être pas essentiels à la bonne tenue de l'État, n'en ravissaient pas moins les lecteurs :

Le cardinal Farnèse est actuellement en bonne santé et très heureux. Le chirurgien qui est venu ici à Caprarola aurait ausculté aussi la signora Clélia. Il déclare qu'elle ne souffre d'aucun mal non plus et que les rumeurs selon lesquelles elle porterait en secret l'enfant du signor Médicis seraient inexactes.

Il est confirmé que le marquis Marco Pio a quitté le château, après avoir baisé les pieds du Grand Cardinal, et reviendra chercher sa femme au début de l'hiver pour la mener à Sassuolo.

Beaucoup de bruit pour rien, pour le moment. Ces rapports médicaux reparurent régulièrement dans les *avvisi*, aux côtés de moqueries et d'attaques contre le nouveau bouc émissaire du Vatican, le conseiller secret de Sixte Quint, un juif d'origine portugaise nommé Lopez, qui avait eu le malheur d'augmenter encore l'impôt sur le vin. Rien donc d'exceptionnel jusqu'à la mi-octobre, où Clélia et Ferdinando furent réunis dans le même *avviso*, pour la dernière fois de leur vie : Clélia, pour avoir enfin perdu son enfant, et Ferdinando pour être devenu grand-duc de Toscane à la suite de la mort de son frère Francesco et de sa femme Bianca Cappello, à deux jours d'intervalle. Clélia lisait et relisait l'article, et malgré le sang qu'elle continuait de perdre en abondance à la suite de son accouchement prématuré d'un enfant de cinq mois, qui n'était pas sans lui rappeler que seize ans plus tôt, dans la même chambre, elle avait expulsé le corps d'un bébé quasi mort, sa première fille, qui n'avait vécu que neuf jours, elle parvint à se lever pour rejoindre sa tante Vittoria dans le salon du premier étage. Celle-ci rédigeait déjà une lettre de félicitations au nouveau grand-duc lorsqu'elle aperçut Clélia. Vittoria accourut à elle et la retint, alors qu'elle semblait prête à défaillir.

Il fallut de nouveau faire intervenir le médecin pour calmer Clélia de la crise qui suivit cet abandon définitif de Rome par Médicis. Si celui-ci n'habitait plus sa ville, et que Cesarini était mort, c'était tout son passé qu'on enterrait. Il fut recommandé de lui interdire la lecture des *avvisi* pour la préserver des rumeurs et des suppositions qui ne tarderaient pas à naître à la suite d'un double décès si brutal. On ne pourrait empêcher les gens de parler, malgré les déclarations de décès des médecins accusant une fièvre tierce due à la malaria qui sévissait dans la zone de marais dans laquelle les deux frères étaient allés chasser. Et de fait, les *avvisi* se déchaînèrent, se repaissant de détails scabreux alimentant la légende noire des Médicis.

Clélia resta alitée plusieurs jours, indifférente aux plats que sa tante lui apportait personnellement, voulant éviter ainsi les commérages des domestiques.

Lorsqu'elle recouvra ses forces, sa tante veilla à distraire son esprit en devisant de tout et de rien : des dix mille écus que Valerio son cousin avait fait mettre à disposition de son mari comme acompte de sa dot ; des nouvelles qu'elle avait reçues de son fils Giuliano, qui se portait bien auprès de son grand-père et faisait de grands progrès en diplomatie, délaissant peu à peu ses jeux d'enfant ; du nouveau palais de la Farnesina, aussi, pour lequel Alessandro cherchait un peintre, sans succès pour le moment car les esquisses qui lui avaient été proposées ne lui convenaient pas : il attendait du grandiose et n'obtenait qu'une grotesque exagération de ce que la Renaissance avait fait de mieux.

– Tu le sais, ajouta-t-elle, nous vivons un changement d'époque et il faut nous y adapter. Voir plus grand, plus neuf. Je suis certaine que depuis Sassuolo, tu seras la première à découvrir ces nouveaux talents. Si les grandes œuvres accouchent à Rome, c'est en province qu'elles se conçoivent.

Clélia feignit de ne pas s'apercevoir que sa tante lui cachait quelque chose et, comme lorsqu'elle était enfant à Urbino, elle se mit à fouiller les coffres et les tiroirs des secrétaires pour obtenir les informations qu'on lui dissimulait. Après le départ de ses deux cousins, alors qu'elle était âgée de sept ou huit ans, elle avait nourri le rêve de quitter elle aussi Urbino, non pour s'enfermer à Naples ou en Espagne, comme eux l'avaient fait, mais pour gagner Rome. Et elle se passionnait tellement pour tout ce qui concernait la Ville éternelle que Vittoria avait fini par lui interdire l'accès aux gazettes et aux *avvisi*.

C'est ainsi qu'aujourd'hui, à trente ans passés, enfermée à Caprarola, elle retrouvait tous ses réflexes de petite fille pour suivre la chronique de l'affaire Médicis. Chaque mercredi et chaque samedi apportaient leur lot d'hypothèses et d'investigations : les corps de Francesco et de Bianca avaient été ouverts et les opinions divergeaient. Selon certains, l'examen du corps du grand-duc avait révélé « une grande dureté de l'estomac » due « aux élixirs » qu'il « prenait très chauds pour être plus apte à la luxure et engendrer la grande-duchesse du mieux qu'il le pouvait». D'autres *menanti* assuraient au contraire que lorsque les médecins avaient ouvert les corps, ils avaient trouvé leur estomac «plein d'eau», certains prirent même le risque d'insinuer que «de l'arsenic avait été extrait de leurs viscères», enfin, ils écrivirent tous que le grand-duc avait été

emmené à Florence dans un lit recouvert de simple velours décoré de croix rouges, accompagné de tous les gentilshommes de la cour, à cheval, des torches à la main. Et le lendemain, après une longue procession à travers la cité, le corps de Francesco fut placé en hauteur sur le catafalque de l'église San Lorenzo, vêtu de l'habit royal, le sceptre à la main et la couronne ducale sur la tête.

Le lendemain, Ferdinando célébra la messe solennelle en l'honneur de son frère et le cercueil du défunt fut glissé à côté de celui d'Anne d'Autriche, sa première épouse.

La grande-duchesse Bianca, au contraire, fut enterrée sans cérémonie, le soir à minuit, et son corps jeté dans la fosse commune du cimetière de San Lorenzo.

Bien que le peuple tînt Bianca Cappello en grand mépris, cette décision fit frémir et les langues se délièrent quant à l'assassinat dont elle avait sûrement fait l'objet.

Clélia, semaines après semaines, dévorait ces nouvelles et se retenait d'en parler à sa tante. Elle reconnut la patte de Ferdinando dans la dernière rumeur qui courait, et que le peuple florentin fit prospérer. Ainsi lut-elle que Bianca avait préparé, pour l'ultime souper de la chasse des Médicis à Poggio, le mets préféré du cardinal : une tourte aux fruits garnie de crème pâtissière. Lorsqu'il en avait approché son opale, celle-ci avait pâli et Ferdinando avait juré qu'il n'avait plus faim. Son frère, qui ne voulait pas que cette tourte faite par Bianca en personne fût perdue, s'en était servi une part. Bianca, selon ce qu'on comprit par la suite, prisonnière de son propre piège avait pris la seule décision digne et en avait mangé aussi. Le lendemain, Bianca et Francesco Ier étaient morts.

Même si Clélia ne pouvait croire que les événements se fussent vraiment déroulés ainsi, elle admira la construction du récit ; une si parfaite répartition des rôles – l'averti, le glouton amoureux et la traîtresse repentie –, pour magnifier l'assassinat, ne pouvait qu'être l'œuvre de Ferdinando.

Une fois la fable acceptée par le peuple florentin, les *avvisi* se contentèrent de retranscrire les actions du nouveau grand-duc et de chanter les louanges de celui qu'ils présentaient comme accessible et généreux, soucieux de justice et attentif à l'indépendance de la Toscane vis-à-vis du Vatican, reprenant sa bonne habitude d'agir à Rome pour Rome, à Florence pour Florence, en somme et où qu'il soit, pour lui-même.

29

L'hiver se profila à Caprarola et Clélia partit rejoindre son mari à Sassuolo, fief insignifiant situé entre Parme et Bologne, à une vingtaine de jours en carrosse de Rome.

Marco Pio vint à sa rencontre à quelques lieues de la ville et le couple fut fêté de villages en villages par de multiples célébrations. La cour de Marco Pio, composée d'hommes de lettres et de musiciens, ne différait guère de celle que Clélia avait pu connaître à Rome ; mais elle n'était pas Rome, justement. Ainsi, la jeune femme, entourée de dames de compagnie qui lui étaient étrangères dans une chambre somptueuse décorée de tapisseries précieuses, de tableaux et de statues antiques, admise dans cette société avec une frénésie et un enthousiasme non feints, resta seule, la plupart du temps, devant son miroir, à guetter dans ses traits les souvenirs de sa vie passée et les regrets qu'elle nourrissait de n'avoir pu devenir une noble veuve romaine.

Tous ces gens semblaient soulagés de la voir arriver à Sassuolo pour prendre en main la vie du jeune marquis, et chacune de leurs marques de gentillesse la blessait un peu plus, car malgré la riche bibliothèque et la culture raffinée de Marco Pio, Clélia perçut très vite son caractère ambitieux, intrigant et colérique. Et ce qu'elle ne faisait que pressentir ne tarda pas à se matérialiser sur son propre corps, qui bleuissait et rougissait par endroits.

Les nuits où il venait lui rendre visite dans sa chambre la laissaient, au petit matin, couverte de pinçons et de morsures. Clélia tenta de l'assagir, de lui apprendre que l'amour pouvait se faire sans violence, mais Marco Pio avait l'affection brutale. Elle dut établir des stratagèmes pour se protéger, demanda à sa couturière de lui confectionner des robes de nuit qui remontent assez haut sur le cou sans rien dévoiler de sa poitrine, avec des manches longues qui couvrent ses bras jusqu'aux poignets, tant pour refroidir les ardeurs de son époux que pour protéger sa peau en cas d'attaques nocturnes. La journée, elle évitait son mari, restant dans sa chambre quand elle était au château, ou partant rendre visite aux femmes qui l'avaient si généreusement accueillie. Aucune n'avait la verve et l'humour de Costanza, mais Clélia s'en contentait.

Elle s'interdisait de repenser aux propos lénifiants que sa tante lui avait tenus sur le mariage avant son départ pour Sassuolo : que son mari avait été sélectionné avec soin par la famille Farnèse et qu'elle vivrait heureuse. Qu'elle n'avait pas encore tout vécu, quoi qu'elle pût en penser. Qu'une nouvelle existence s'offrait à elle, qu'il fallait la saisir, l'accueillir même, comme un bienfait de Dieu. Si elle-même, Vittoria, ne l'accompagnerait pas, de peur de gâcher ces premiers moments en couple, sa nièce occuperait toutes ses pensées et elle la protégerait de loin, comme elle l'avait toujours fait. Où était-elle aujourd'hui, cette tante qui lui augurait un si brillant destin ? se demandait Clélia, cautérisant une plaie sur son visage meurtri par une nouvelle nuit passée avec Marco Pio.

Les mois passant, elle envoya à son cousin Valerio, à sa tante, des lettres qui restèrent sans réponse. Elle écrivit :

Je vous implore, prince, mon seigneur, de venir immédiatement. Sachez que j'ai le visage cassé à force de souffrir. Je sais que si vous m'aimez, il est temps de le montrer, et de prouver par des actes ce que vous m'avez déjà dit par des paroles.

En vain.

Son mari était soldat, que ne partait-il à la guerre ? songeait-elle parfois, se remémorant les mois d'angoisse qu'elle avait traversés au départ de Giovan Giorgio à l'époque, et qui aujourd'hui lui feraient l'effet d'une délivrance. Marco Pio était buveur et séducteur, que ne prenait-il une maîtresse ? envisageait-elle un autre jour, espérant là une distribution plus proportionnée des coups entre deux femmes. Elle rêvait son mari en satyre guerrier. Il n'était hélas qu'un petit provincial colérique et casanier. Nous sommes ici-bas afin d'obtenir notre rédemption par la douleur, se répétait-elle chaque jour, dans la chapelle de son château de Sassuolo.

Le salut vint enfin, mais d'ailleurs. À la fin du mois de février, elle reçut une lettre de son cousin Valerio. Son père, Alessandro Farnèse, était mort d'une crise d'apoplexie foudroyante. Ce fut un choc et une libération. La dernière preuve d'amour d'un père à sa fille. Clélia fit préparer ses effets et partit sur l'heure pour Rome, laissant son mari hagard à Sassuolo.

30

– Avec le rappel à Dieu d'Alessandro Farnèse, c'est la grandeur d'un siècle qui s'éteint. Celui de Paul III, des découvertes majeures de l'Antiquité, celui de Titien, qui a toujours œuvré avec talent pour servir cette famille, celui de Michel-Ange, l'architecte de leur palais romain.

» Élu cardinal par le pape Paul III à l'âge de quatorze ans, Alessandro l'est demeuré cinquante-quatre ans durant, et presque autant de temps comme vice-chancelier de l'Église, à laquelle il a su apporter des bénéfices innombrables, dont cette église del Gesù, fondée par lui et dans laquelle son corps reposera pour l'éternité.

Sixte Quint s'arrêta, laissant aux quarante-deux cardinaux présents dans la nef de l'église bâtie par Alessandro le temps de s'émouvoir, et au peuple, celui de pleurer et de se recueillir, lui que le Grand Cardinal avait toujours protégé, recevant les plus pauvres dans son palais chaque samedi et leur offrant du pain et du vin. Sixte Quint, visiblement bouleversé lui-même, reprit :

– Le jeune Alessandro Farnèse, jadis élève de Pomponius Laetus, puis familier du cercle érudit de Lorenzo de Médicis, ne nous a pas légué sa seule foi inépuisable et généreuse, mais aussi son savoir, sa finesse d'esprit, sa grandiose vision du monde, qu'il a traduite dans toutes ses réalisations. Diplomate, lettré, mécène, interlocuteur des princes et des savants, celui que nous nommions le Grand Cardinal, parce qu'il l'était, grand, en esprit comme en actions, incarnait l'idéal que nous cherchons tous à atteindre, celui de l'homme universel, qui n'existe que lorsqu'une personnalité exceptionnelle rencontre une nature tellement puissante et un esprit si richement doué, capable d'assimiler tous les éléments de nos arts. Et alors, dans ce cas, l'humanisme renaissant auquel nous aspirons tous atteint son degré de perfection. En Alessandro, c'est une partie de notre histoire que nous perdons, mais dans ces Farnèse que je vois ici environnant le cercueil de leurs larmes sincères, c'est sa continuité que je perçois, dans le bâti, dans les arts, et dans la foi catholique qui nous unit tous.

Cette oraison fut suivie d'un silence profond. Alessandro Farnèse, malgré les apparences, n'avait pas d'ennemi véritable. Son sens de la diplomatie et son indéniable amour des arts l'avaient détourné, surtout à la fin de sa vie, des inimitiés sérieuses. Il n'avait, certes, jamais cessé de combattre ni d'intriguer, mais la raison qu'il gardait en tout et la gestion minutieuse de la Chancellerie laissaient la Curie profondément éplorée. Clélia elle-même, qui pourtant aurait eu bien des reproches fondés à lui opposer, restait inconsolable, au premier rang de l'église, aux côtés de sa tante, de son fils, de ses cousins Della Rovere et de ses cousins Farnèse de Parme. Et lorsqu'ils quittèrent la nef pour se réunir au palais du Largo di Torre Argentina, dans lequel Giuliano les avait conviés, Clélia s'effondra.

Elle avait passé seize ans dans ce palais, à lutter contre son père pour y rester, pour le garder, et aujourd'hui, alors qu'il était enfin mort et qu'elle eût pu ressentir un immense soulagement, c'était un gouffre qui s'ouvrait devant elle, celui de son passé, dans lequel elle aurait aimé se laisser engloutir. Son ressentiment n'existait plus. Ne persistait que la sensation d'un manque profond, inépuisable. En perdant successivement son mari, puis son père, c'était une part de son être qu'elle abandonnait dans leur tombe, une part de sa vie d'avant, une part de Rome elle-même. Appuyée au bras de son fils dans ce salon aux tentures de damas vert doré qu'elle connaissait si intimement, les yeux rougis, elle ne parvenait pas à offrir à Giuliano les mots de réconfort dont il avait lui-même tant besoin, lui qui perdait en Alessandro son unique repère.

Les cérémonies funéraires terminées, Clélia savait qu'elle devait retourner à Sassuolo. Elle s'échappa pourtant un moment pour gagner la villa Médicis, abri de ses plus grandes joies, en même temps que motif de ses plus grandes souffrances. Ses murs étaient désormais vides. Non seulement Ferdinando n'y résidait plus depuis qu'il régnait sur la Toscane, mais il avait donné l'ordre à son secrétaire de faire acheminer à la galerie des Offices à Florence toute la collection de sculptures et d'antiques qu'il avait acquise ici, à Rome. Lorsque Clélia arriva devant le portail clos de la villa, elle vit des domestiques et des artisans qui empaquetaient les derniers blocs de marbre, discutant du mariage de leur maître avec Christine de Lorraine le 20 mars suivant. Dans cinq jours. Elle n'en avait pas même été avertie. Les nouvelles et les *avvisi* mettaient des semaines parvenir à la cour de Sassuolo et elle s'était contrainte à ne plus les suivre.

Cesarini n'était plus, son père était mort, Ferdinando se mariait et quittait Rome pour toujours. Mon Dieu, s'écria-t-elle du haut de la colline du Pincio, pourquoi m'as-tu abandonnée ?

31

Sur le chemin du retour à Sassuolo, Clélia fit halte à Parme dans le palais de son cousin Farnèse, où elle découvrit le nouvel *avviso* circulant à son sujet.

Avviso, 23 mars 1589

On dit que la signora Clélia Farnèse est allée à Parme, et est entrée dans un monastère après avoir tué à coups de poignard une demoiselle de sa suite qu'elle avait découverte coupable d'adultère avec son mari.

Ignoble commérage, rumeur infamante, *menante* abject. Elle n'avait plus de père ni d'amant, mais il fallait toujours que ces sangsues acharnées insinuent quelque chose, tout, rien, pur mensonge, amusement de vautours. Sans imagination en plus. On l'avait déjà accusée, dix années plus tôt, d'avoir rossé la belle Barbara.

Elle poursuivit sa route jusqu'à Sassuolo et, arrivant

dans son château, constata qu'une des femmes de sa suite était bien morte.

Et tous avaient une opinion : certains l'accusaient, elle, Clélia, pourtant absente au moment des faits mais qui aurait pu, selon eux, commanditer l'assassinat depuis Rome ou Parme… D'autres, plus raisonnables, incriminaient Marco Pio, mais en sourdine, de peur des représailles de ce seigneur violent.

Cette grotesque répétition de calomnies attira auprès de Clélia la foule, toujours aussi imposante, de ses courtisans, partisans ou adversaires, non plus princes régnants, papes ou cardinaux, mais nobliaux, évêques et prêtres ; revêtus non plus de plastrons dorés à l'or fin, mais de fraises et de collerettes élimées, fatigués d'une vie qui ne commencerait jamais.

32

Dix ans après ce sinistre retour à Sassuolo, Marco Pio mourut enfin. Non pas héroïquement d'une blessure de guerre, non pas tragiquement d'une maladie soudaine ou foudroyante, mais lâchement, dans une embuscade, abattu comme un nuisible. À l'annonce du décès de son mari, Clélia s'enfuit immédiatement, sans attendre les funérailles ; elle gagna Parme et demanda secours et assistance à son cousin Farnèse. Elle voulait se rendre à Rome au plus tôt.

Le duc Ranuccio la reçut quelques jours puis, dénigrant son propre palais où traînait toujours quelque soldat soiffard, il la fit conduire au monastère bénédictin de San Paolo, à Parme, où il lui promit qu'elle serait heureuse, entre femmes, en attendant l'aval de son fils concernant son installation au Largo di Torre Argentina à Rome. La supérieure et les novices l'accueillirent avec chaleur, heureuses de connaître la belle Clélia Farnèse. On lui fit admirer la voûte du réfectoire, où le Corrège avait peint une myriade de *putti* joyeux pour entourer le triomphe de

Diane sur son char, hommage à l'abbesse Giovanna Piacenza, fondatrice du lieu cent ans auparavant, qui avait toujours été plus proche du salon que du cloître : on y parlait poésie, littérature et religion, avec un savoir-vivre humaniste qui n'était guère du goût des papes. Ainsi Clélia se sentit-elle à l'aise dans ce monastère qui avait gardé de sa fondatrice une liberté d'esprit et de goût.

Elle put raconter, sans être jugée, les événements qui avaient jalonné sa vie depuis la mort de son père il y a dix ans déjà. Giuliano, son fils, avait finalement épousé, non pas la petite-nièce du pape – Ferdinando de Médicis avait obtenu gain de cause, comme toujours, pour son neveu Virginio Orsini – mais une certaine Livia, que Clélia désirait connaître. Ce vœu n'avait pu se réaliser, contrainte qu'elle avait été par son mari de rester à Sassuolo au prétexte des inondations suivies d'épidémies sévères qui avaient frappé tout le nord de l'Italie. Clélia s'était impliquée de la meilleure façon qui fût, protégeant ses paysans et légiférant à la place de Marco Pio pour leur assurer des ressources suffisantes et leur permettre de survivre aux famines, levant même un nouveau *monte*, au nom des Pio de Savoie, forte du succès du précédent emprunt Cesarini. Quant à Ferdinando, il avait poursuivi sa vie de monarque éclairé à Florence. Sa famille comportait désormais six enfants, si les comptes tenus par les *avvisi* étaient exacts. Les *menanti* commentèrent beaucoup la nostalgie que le grand-duc avait de ses amours passées avec la signora Farnèse. On dit qu'il fit construire dans un de ses châteaux de la province de Modène un décor reprenant à l'identique celui du palais Farnèse de Caprarola. Clélia ne chercha jamais à le vérifier.

Les années et les malheurs avaient suspendu pour toujours les rêves de sa jeunesse, et les joies qu'elle avait partagées avec Ferdinando et Cesarini n'étaient plus à ses yeux que des souvenirs éteints. Si elle souhaitait revenir à Rome, ce n'était plus pour participer au tourbillon des mondanités et des idées nouvelles, auxquelles elle ne correspondrait plus, mais pour terminer son existence auprès de son fils Giuliano, de sa femme et de leurs enfants. À défaut d'avoir réussi à être mère, elle se proposait, à quarante-deux ans, de devenir une grand-mère.

Giuliano ne le conçut pas ainsi, et il refusa de l'accueillir à Rome, prétextant que le train de vie de sa mère le ruinerait. Elle dut supplier, s'humilier, pendant deux ans, par des lettres régulières qu'elle envoyait à Valerio Della Rovere, dans l'espoir que son cousin les lui transmettrait – puisque son fils ne prenait même plus la peine de décacheter les siennes.

Dis à mon fils que j'ai changé mes habitudes et que je vis désormais très modestement. Je porte toujours un manteau noir, dans le plus pur style romain. Quand je suis arrivée ici, il y a un ou deux ans, on m'avait parlé d'un temps très court, l'affaire de quelques mois. Je ne sais pas combien de temps encore va durer cette comédie. La seule chose dont je sois certaine, c'est que je veux me réorienter vers Rome. Prie mon fils, Valerio, dis-lui de me laisser venir.

Ce ne fut que deux ans plus tard que Giuliano daigna, avec l'accord de son cousin Farnèse de Parme, laisser sa mère reparaître dans le palais Cesarini, qu'elle avait occupé pendant seize ans, ses plus belles années, les seules heureuses.

Épuisée par les veilles et les supplications, mais impatiente de retrouver sa ville, Clélia ordonna aux quatre domestiques qui constituaient sa maigre suite – elle qui en avait eu plus de cent à l'époque ! – de préparer ses malles. Le voyage dura une quinzaine de jours. La veuve ne comptait pas se hâter, pour économiser les maigres forces que lui avaient laissées ses multiples deuils, son séjour à Sassuolo puis au couvent.

Avant d'entrer dans Rome, sa calèche fit une dernière halte, dans un relais de poste le long du lac de Bracciano. La taverne dans laquelle Clélia et sa suite entrèrent lui sembla familière. Toujours des soldats, des pèlerins, des joueurs de dés attablés et brailleurs, des artistes en devenir, des enfants s'égayant au bord du lac et des *menanti*, leur sacoche brune au bras.

Clélia croisa le regard de l'un d'entre eux et le reconnut immédiatement : ses yeux noirs avaient perdu de leur vivacité, il semblait désormais plus las que combatif, comme apaisé par une vie de luttes, ses cheveux, toujours en bataille, avaient blanchi. Il salua Clélia d'un grave hochement de tête auquel elle ne répondit pas, le fixant et secouant la sienne de droite à gauche en signe de refus. Elle s'installa à une table éloignée de lui, but pensivement la grossière boisson que l'aubergiste lui apporta.

Le *menante* se leva avec difficulté. Il n'avait plus l'aisance qu'elle lui avait connue alors et qui l'avait plus d'une fois sauvé de la prison. Il se dirigea vers elle et, debout, déclara d'une voix basse :

– C'est fini. Je ne dirai plus rien de vous.

Clélia soupira et répondit :

– C'est trop tard.

Elle l'observa quitter l'auberge. Il se retourna une dernière fois en passant la porte. Dans ses yeux brillait non plus la colère, mais une demande de pardon. Clélia hocha la tête en signe d'absolution. Elle ne chercherait plus à identifier la source et les commanditaires des infamies qu'il avait pu proférer contre elle. Ce n'était pas la faute de cet homme si elle avait eu l'illusion de vivre dans une Renaissance flamboyante, et qu'elle avait finalement assisté à la chute de celle-ci. Il n'était pas responsable non plus du fait qu'épouse, elle était asservie, mais que libre, elle n'était plus rien. Ainsi vont le monde et la comédie de l'Histoire, répétitive, influençable, indécise et pourtant toujours en mouvement.

À la porte de l'auberge un homme vêtu de noir se dirigea vers Clélia, qui n'osait plus lever les yeux tant elle refusait que son passé vienne reprendre le dessus sur ce présent qu'elle s'appliquait à accepter.

– Je vous reconnais, lui dit-il, vous êtes la grande Clélia Farnèse.

Elle acquiesça faiblement.

– J'ai esquissé votre portrait il y a vingt ans au moins dans cette même auberge. Vous ne devez pas vous en souvenir, j'étais encore enfant.

Clélia posa sur lui un regard doux, plein de reconnaissance.

– Je ne vous ai jamais oublié, mon garçon, lui répondit-elle, émue. En voici la preuve.

Et elle tira de son livre de prière le portrait, jauni par les années, où cet enfant prodige avait percé son âme.

– Que faites-vous ici ?

– Je viens, avec mon frère, chercher du travail à Rome. Nous avons accompli notre formation avec maître Prospero Fontana, peintre du pape Jules III. Mais nous refusons maintenant son maniérisme d'un temps révolu. Nous voulons créer un art nouveau, plus baroque, plus foisonnant, exubérant même.

Son visage s'animait en parlant, perdait l'anxiété que ses gestes trahissaient.

– Je ne pourrai pas vous aider… je ne suis plus rien à Rome, vous savez, monsieur… ?

– Annibale, signora Farnèse, Annibale Carracci. Je ne vous demandais rien. Vous rencontrer seulement est pour moi le signe annonciateur de notre réussite future. Vous êtes ma bonne étoile, signora Farnèse. Depuis vingt ans, c'est votre visage que je cherche à reproduire dans toutes mes peintures. Plus que votre visage, c'est votre légèreté profonde, votre nostalgie souriante, votre liberté contrainte, toutes ces contradictions qui font de vous l'être le plus familier et le plus exotique à la fois qu'il m'ait été permis de rencontrer. Vivez une belle et longue vie, signora Farnèse, nous nous reverrons, ici ou ailleurs, j'en suis certain.

Trois jours plus tard, Clélia entra enfin dans Rome, non plus de nuit ou dans le secret comme avec son mari Cesarini, mais dans l'indifférence. Personne n'attendait sa venue et nul ne s'en souciait. Son fils Giuliano ne prit pas la peine de l'accueillir, et c'est un domestique qui se chargea de l'installer dans ses nouveaux appartements, situés non plus à l'étage noble du palais, aux côtés de Giuliano et de Livia, mais dans l'aile Argentina, celle des cuisines. Sans se décourager et sans orgueil, Clélia donna immédiatement des instructions précises pour faire nettoyer et repeindre ces petites pièces sombres que son fils et sa bru lui avaient allouées.

Dans l'inconfort mais avec patience, elle eut ainsi le temps, pendant les douze années qu'elle vécut dans ce réduit, de voir s'éteindre son époque et ses participants : sa tante bien-aimée, Vittoria Farnèse, mourut l'année suivant son installation au Largo di Torre Argentina. Puis son premier et seul amant, Ferdinando de Médicis, auréolé de gloire et constant dans ses succès, fut inhumé en 1609 dans la basilique San Lorenzo à Florence. Elle ne le revit jamais.

Les frères Carracci, devenus ses protégés, lui apportèrent ses dernières joies, puisqu'ils lui permirent d'assister, dans la galerie de la villa Farnesina, à la naissance de l'art moderne à travers leur représentation des amours des dieux.

Malgré le ridicule de la vie qu'il mena, Clélia soutint toujours son fils Giuliano, réputé pour ses farces plutôt que pour son talent. Elle le chérit et le soigna jusqu'à son dernier souffle. Surmontant avec peine les querelles qui virent se déchirer ses cinq petits-fils autour de l'héritage de leur père, elle le suivit de peu, expirant la même année. Selon sa dernière volonté, elle reposa, sans pierre tombale ni commémoration publique, à côté du corps de son père, unis à jamais dans la mort et dans l'au-delà.

Les *avvisi* firent, unanimement, son éloge.

Un siècle plus tard, les familles Farnèse et Médicis s'éteignirent elles aussi, laissant à la Ville éternelle le miracle de leurs deux palais, la villa Médicis et le palais Farnèse. Quant à Clélia, quelques tableaux épars portent encore sa trace sur les murs des églises romaines et de la galerie des Offices à Florence, tandis que son âme inspire à jamais les milliers d'artistes qui ont traversé le Pavillon des oiseaux.

NOTE DE L'AUTRICE

Les *avvisi*, les *pasquinate* et les extraits de correspondance en italique sont authentiques et proviennent des archives numérisées de la Bibliothèque apostolique vaticane et du fonds Della Valle Del Buffalo, entré aux Archives secrètes du Vatican en 1948.

DE LA MÊME AUTRICE

Aux Éditions Albin Michel

CONCOURS POUR LE PARADIS, prix du Premier Roman, prix littéraire des Grands Destins, prix François-Victor Noury de l'Institut de France 2018.

LA FABRIQUE DES SOUVENIRS, 2021.

Retrouvez toute l'actualité des éditions Albin Michel
sur notre site albin-michel.fr
et suivez-nous sur les réseaux sociaux !
Instagram : editionsalbinmichel
Facebook : Éditions Albin Michel
Twitter : AlbinMichel

Composition : IGS-CP
Impression : Imprimerie Floch, mai 2023
Éditions Albin Michel
22, rue Huyghens, 75014 Paris
www.albin-michel.fr
ISBN : 978-2-226-47314-1
N° d'édition 24941/01 – N° d'impression : 102635
Dépôt légal : août 2023
Imprimé en France